최인호

1945년 서울에서 태어나 연세대학교 영문학과를 졸업했다. 서울고등학교 2학년에 재학 중이던 1963년에 단편 「벽구멍으로」가 한국일보 신춘문예에 가작 입선하여 문단에 데뷔했고, 1967년 단편 「견습환자」가 조선일보 신춘문예에 당선된 이후 본격적인 작품 활동을 시작했다.

작가는 1970~80년대 한국문학의 축복과도 같은 존재였다. 농업과 공업, 근대와 현대가 미묘하게 교차하는 시기의 왜곡된 삶을 조명한 그의 작품들은 작품성과 대중성을 동시에 확보하며 문학으로서, 청년문화의 아이콘으로서 한 시대를 담당했다. 1990년대 들어서부터는 우리 역사에 천착하며 한민족의 원대한 이상에 접목하는 날카로운 상상력과 탐구로 풍성한 이야기 잔치를 열어왔다.

소설집으로 『타인의 방』, 『잠자는 신화』, 『개미의 탑』, 『위대한 유산』 등이 있으며, 『별들의 고향』, 『도시의 사냥꾼』, 『잃어버린 왕국』, 『길 없는 길』, 『상도』, 『해신』, 『유림』, 『제4의 제국』, 『낯익은 타인들의 도시』 등의 장편소설을 발표했다. 현대문학상, 이상문학상, 동리문학상, 가톨릭문학상, 불교문학상 등을 수상했다.

그림 조금희

서울에서 태어났다. 성신여자대학교에서 서양화를 전공하고 동 대학원에서 판화를 전공했다. 생명의 근원을 주제로 두 번의 판화 개인전을 열었다. 세상의 풍경과 일상의 모습, 동식물 등을 따뜻한 이미지로 그려내고 있으며, 다양한 기법 실험을 통한 풍부한 화법(畵法)을 보여주고 있다.

최인호의
인생

최인호의

인생

여백

생生은

신이 우리에게 내린

명령命令

그래서 생명生命

머리글

　이 책 속에 실린 글들은 2008년 5월 첫 수술을 받고 난 이후에 쓴 작품들이다. 1부는 가톨릭 〈서울 주보〉에 5개월간 일주일에 한 번씩 연재했던 글을 모은 것인데, 일종의 묵상록(默想錄)이라고 할 수 있겠지만 얕은 신앙인으로서 그렇게 부르는 것은 건방진 일이다. 2부는 수상(隨想)도 아니고 에세이도 아니며 굳이 이름 하자면 연작소설이라 할까.

　법정 스님에 관한 글은 2010년 9월에 쓴 미공개 작품인데 문학지에 발표하려다가 주제넘은 것 같아 그냥 갖고 있었던 단편소설이다. 어쨌든 신작들이니 나로서는 힘겨운 작품집이라 할 수 있다. 책 속에 낱장으로 들어간 삽화(揷畵)는 1994년 1월, 성 이냐시오 피정을 하던 어느 날 내가 그린 상상화인데 솜씨를 자랑하고 싶어서가 아니라 「두메꽃」이란 시도 나오고 해서 내용을 충실하게 설명하고 싶어 넣은 것이니 치기(稚氣)를 용서해주길 바란다.

　글들이 종교적이어서 보편적인 것을 기대한 독자들에게는 죄송하지만 어쩔 수 없다. 작가는 어차피 그때그때 그가 마음에 담고 있는 생각들을 쏟아내기 마련이니까. 그리고 우연히 올해가 문단에 나선 지 정확하게 50년이 되었음을 알게 되었다. 그런 의미에서 이 책이 반세기 동안의 작가 인생을 기념하는 문집인 셈이다. 고등학교 2학년 때 신춘문예에 입선함으로써 데뷔했는데, 그동안 명색이 작가랍시고 거들먹거리고 지냈음이 문득 느껴져 부끄럽다. 진심으로 머리 숙여 사죄한다.

올겨울은 유난히 춥고 길어서 어서 꽃 피는 춘삼월이 왔으면 좋겠다. 혹여나 이 책을 읽다가 공감을 느끼면 마음속으로 따뜻한 숨결을 보내주셨으면 한다. 그 숨결들이 모여 내 가슴에 꽃을 피울 것이다.

2013년 2월, 최인호

차례

1

아무것도 청하지 말고,
아무것도 거절하지 말며

2

꽃잎이 떨어져도
꽃은 지지 않는다

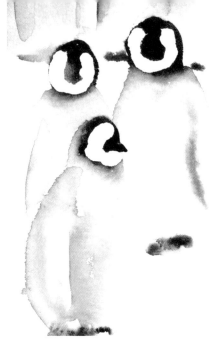

과거의 마음을 얻으려 한다면 집착에 사로잡히게 될 것이며,
미래의 마음을 얻으려 한다면 욕망에 사로잡히게 될 것이다. 또한
현재의 마음을 얻으려 한다면 사리분별에 사로잡히게 될 것이다.

1

아무것도 청하지 말고,
아무것도 거절하지 말며

지금 이 세상 어디선가
누군가 울고 있다

그동안 나는 암에 걸려 투병 생활을 하고 있었다.

지금껏 나는 몸이 건강하여, 불의의 교통사고로 짧게 병상에 누웠던 적은 있어도, 병에 걸려 입원 생활을 해본 적은 없었다. 그래서 평소에 병원은 나와 상관없는 별도의 공간이며 운이 나쁜 사람들이나 가는 격리된 수용소와 같은 곳이라고 생각해왔다. 그러던 내가 어느새 5년째 투병 생활을 하게 되었으니 '오늘은 내 차례, 내일은 네 차례'라는 트라피스트 수도회의 금언을 새삼스럽게 실감하게 된 요즈음이다.

2008년 여름, 나는 드디어 '내 차례'를 맞아 암이라는 병을 선고받았다.

　가톨릭 신자로서 앓고, 가톨릭 신자로서 절망하고, 가톨릭 신자로서 기도하고, 가톨릭 신자로서 희망을 갖는 혹독한 할례의식을 치렀다.

　나는 이 할례의식을 '고통의 축제'라고 이름 지었다. 아직도 출구가 보이는 것은 아니지만, 고통의 피정 기간 동안 느꼈던 기쁨을 많은 분들께 전하려고 한다.

암에 걸렸다는 사실을 알았을 때, 나는 지금 나에게 불어 닥친 이 태풍이 다름 아닌 죄 때문일 것이라고 생각했다. 바오로가 말한, 올바른 마음가짐 없이 빵을 먹거나 주님의 잔을 마시는 사람은 신성모독의 죄를 범하는 것으로, "여러분 중에 몸이 약한 자와 병든 자가 많고 죽은 자가 적지 않은 것은 그 때문"(1코린 11,30)이라는 말씀을 떠올렸던 것이다. 나에게 있어 암 선고는 미국 작가 나다니엘 호손이 쓴 소설 속의, 간통한 죄로 'A'라는 주홍글씨를 가슴에 새기고 사는 여주인공의 낙인과 같은 것이라고 생각했다.

그러나 어느 날 병원 복도에서 마주친, 천사와 같은 머리 깎은 어린 환자의 눈빛을 보았을 때, 나는 남몰래 눈물을 흘리면서 절규했다. 그렇다면 주님, 저 아이는 누구의 죄 때문에 아픈 것입니까? 자기의 죄입니까, 부모의 죄입니까? 그때 주님은 내 귓가에 속삭이셨다.

"자기 죄 탓도 아니고 부모의 죄 탓도 아니다. 다만 저 아이에게서 하느님의 놀라운 일을 드러내기 위한 것이다." (요한 9, 3 참조)

그 순간 나는 비로소 죄의식에서 해방될 수 있었다.

병원 안에 있는 수많은 환자들…… 아아, 지금 이 순간에도 얼마나 많은 가정 속에서 소중한 우리의 아빠, 엄마, 딸, 아들, 이제 갓 태어난 아기들이 온갖 병으로 스러지고, 신음하고, 죽어가고 있을까. 그들은 모두 죄인이 아니라 주님의 말씀대로 하느님의 놀라운 영광을 드러내기 위해 십자가를 지고 있다는 진리를 깨달았던 것이다.

독일의 시인 릴케는 「엄숙한 시간」에서 노래했다.

지금 이 세상 어디선가 누군가 울고 있다.
세상 속에서 까닭 없이 울고 있는 사람은 나를 위해 울고 있는
것이다.

지금 한밤중에 어디선가 누군가 웃고 있다.
한밤중에 까닭 없이 웃고 있는 사람은 나를 두고 웃고 있는 것
이다.

지금 이 세상 어디선가 누군가 걸어가고 있다.
까닭 없이 걸어가고 있는 그 사람은 나를 향해 오는 것이다.

지금 세상 어디선가 누군가 죽어가고 있다.
세상 속에서 까닭 없이 죽어가고 있는 그 사람은 나를 바라보
고 있다.

우리들이 이 순간 행복하게 웃고 있는 것은 이 세상 어딘가에서 까닭 없이 울고 있는 사람의 눈물 때문이다. 우리들이 건강한 것은 어딘가에서 까닭 없이 병을 앓고 있는 환자들 덕분이다. 우리들이 배불리 먹을 수 있는 것은 어딘가에서 까닭 없이 굶주리는 사람들의 희생이 있기 때문인 것이다.

그러므로 우리는 이 세상 어딘가에서 울부짖고 있는 사람과 주리고 목마른 사람과 아픈 사람과 가난한 사람들의 고통을 잊어서는 안 된다. 두려워하지 말기를. 내가 울고, 내가 굶주리고, 내가 슬퍼하고, 내가 병으로 십자가를 지고 신음하면 우리 자신보다 우리를 사랑하시는 주님은 바로 우리 곁에서 이렇게 위로하고 계신다.

"슬퍼하지 마라. 기뻐하고 즐거워하여라. 내가 너와 함께 굶고 너와 함께 고통받고 너와 함께 신음하고 있다. 하늘나라가 너의 것이다."

나와 함께 깨어 있어라

2009년 10월, 암이 재발하여 본격적인 항암요법이 시작된 후 일주일 만에 1차 치료가 끝났을 때 내 체중은 5kg이 줄어 있었다. 밥은 물론 물 한 모금도 삼키지 못했다. 나는 다시는 항암치료를 받지 않겠다고 이를 악물었으며 주치의에게 선언했다.

"때려죽여도 다시는 항암치료를 받지 않겠소."

병상에 누워 있을 때 머릿속에 줄곧 떠오르던 것은 바오로의
충고였다.

"언제나 기뻐하십시오. 끊임없이 기도하십시오. 모든 일에 감
사하십시오."(1테살 5,16-17)

하지만 그것은 모순의 진리였다. 고통으로 기도의 말조차 떠올릴 수 없었으며, 기쁨은커녕 감사의 마음도 느낄 수가 없었다.

그뿐인가? 주님께서는 십자가를 향해 "자, 일어나 가자."라고 비장한 출사표를 던지기 직전에 이렇게 유언하고 계신다.

"나는 너희에게 평화를 남기고 간다. 내 평화를 너희에게 준다. 내가 주는 평화는 세상이 주는 평화와 같지 않다. 너희 마음이 산란해지는 일도, 겁을 내는 일도 없도록 하여라."(요한 14,27)

그러나 나는 도저히 그럴 수가 없었다. 기뻐할 수가 없었으며, 두려워하지 않을 수가 없었으며, 주님이 주는 평화를 조금도 느낄 수가 없었다. 그렇다면 내가 믿는 그리스도는 지키지도 못할 율법을 강제적으로 강요하는 사이비 교주란 말인가.

나는 육신의 고통보다도, 천지창조 이전부터 우리를 사랑해 오신 하느님과, 우리를 대신하여 십자가에 못 박혀 돌아가신 그리스도와 진리의 성령을 믿는 가톨릭 신자로서 도저히 그리스도의 평화를, 그 기쁨을 느낄 수 없다는 자신에 대해 절망했다. 그래서 나는 영적 지도 사제이신 곽 신부님에게 전화를 걸어 이렇게 떼를 썼다.

"신부님, 저는 항암치료를 포기할 것입니다."

며칠 후 나는 우연히 피땀을 흘리며 기도하시는 주님의 모습을 떠올리게 되었다. 그때 주님은 베드로와 다른 두 제자만을 데리고 게세마니 동산으로 올라가 근심과 번민에 싸여 이렇게 말씀하셨다.

　　"내 마음이 너무 괴로워 죽을 지경이다. 너희는 여기에 남아서 나와 함께 깨어 있어라."(마태 26,38)

아아, 그때 느낀 마음의 위로는 얼마나 강렬했던지⋯⋯. 하느님의 외아드님이신 주님도 '근심'과 '번민'에 싸여 괴로워 죽을 지경이라고 고통을 호소했는데, 그렇다면 나의 고통과 두려움은 얼마나 당연한 것인가. 얼마나 외로우셨으면 제자들에게 "한 시간도 나와 함께 깨어 있을 수 없단 말이냐!"고 한탄하신 걸 보면 아아, 주님도 얼마나 고독하셨을까. 그래, 주님과 더불어 한 시간만이라도 깨어 있자. 내 고통은 주님과 함께 깨어 있는 영혼의 불침번과 같은 것이니, 다시 시작하자. 항암치료의 자명종을 통하여 피땀을 흘리시며 기도하시는 주님과 함께 깨어 있자.

바로 그 무렵 나는 예수의 성녀 데레사가 쓴 『완덕의 길』이라는 책 속에서 다음과 같은 구절을 보고 큰 용기를 얻을 수 있었다.

(…) 정말 필요한 것이면 보아줄 사람이 얼마든지 있으니, 꼭 필요한 일이 아니라면 스스로 걱정하지 마십시오. 몸 걱정, 죽는 걱정을 단번에 끊어버릴 결심이 없으면 평생 아무 일도 못할 것입니다. 그런 것을 무서워하지 말고 하느님께 자신을 맡기십시오. 무엇이든 올 테면 오라지요. 죽은들 어떻습니까. 몸뚱이가 우리를 조롱한 것이 몇 번인데, 우린들 한두 번쯤 그놈을 조롱하지 말란 법이 어디 있겠습니까. 꼭 믿어주십시오. 이러한 결심은 우리가 생각할 수 있는 것 이상으로 중요한 것입니다. 왜냐하면 주님의 도우심을 입어 몇 번이고 이와 같이 해나가다 보면 어느덧 우리는 육체의 '지배자'가 될 수 있기 때문입니다.

지금 병상에 누워 있는 지상의 모든 환자 여러분,

성 데레사의 말처럼 우리 함께 육체의 지배자가 되도록 노력
합시다.

주님은 전능하시기 때문에 육체의 원수를 정복하고

우리가 승리할 수 있도록 도와주실 것입니다.

벼랑 끝으로 오라

옛 중국의 선사 석상(石霜)이 어느 날 제자들에게 물었다.

"백 척이나 높은 작대기 끝에서 어떻게 하면 걸을 수가 있겠는가?"

제자들이 대답하지 못하자 스스로 대답했다.

"백 척이나 높은 작대기에 올라가 능히 앉을 수 있는 지경에 이르렀다 해도 진리에 이른 것은 아니다. 백척간두에서 다시 한 발자국 나가보라. 그렇게 되면 시방세계의 모든 진리를 보게 되리라."

투병 생활을 하는 동안 육체의 고통보다 더 힘든 것은 끊임없는 걱정과 두려움이었다. 하루 24시간 매 순간이 마음의 고통이었다.

그러던 어느 날 문득 억울한 생각이 들었다. 지금 죽고 사는 백 척 작대기 위에 앉아 있다고 해도 이렇게까지 걱정과 두려움에 떨고만 있어서는 되겠는가. 도대체 무엇이 나를 이처럼 괴롭히는가. 죽음에 대한 공포도, 온갖 걱정도 아직 일어나지 않은 불길한 망상 때문인데, 어째서 일어나지도 않은 현상을 미리 가불해서 앞당겨 근심하고 있단 말인가.

나는 몇 날 며칠을 불안에 대한 정체를 직시해보려 했다. 성녀 소화 데레사는 이렇게 말했다.

"매 순간 단순하게 살지 않는다면 인내심을 갖기가 불가능할 것입니다. 저는 과거를 잊고 미래에 대해 생각하지 않으려고 무척 조심합니다. 우리가 실망하고 두려움을 느끼는 것은 과거와 미래를 곰곰이 생각하기 때문입니다. 매 순간 예수님의 가슴에 기대어 조용히 쉬지 않고 안달하면서 시간을 허비하는 것만큼 어리석은 짓은 없습니다."

우리의 불안과 두려움은 소화 데레사의 말처럼 과거와 미래에 대한 생각 때문이다. 과거의 마음을 얻으려 한다면 집착에 사로잡히게 될 것이며, 미래의 마음을 얻으려 한다면 욕망에 사로잡히게 될 것이다. 또한 현재의 마음을 얻으려 한다면 사리분별에 사로잡히게 될 것이다.

불교의 골수인 『금강경』에는 이런 명구가 나온다.

'과거의 마음도 얻을 수 없고, 현재의 마음도 얻을 수 없으며, 미래의 마음도 얻을 수 없다.'

그래서 선승 황벽(黃檗)은 이렇게 말했다.

"과거는 감이 없고, 현재는 머무름이 없고, 미래는 옴이 없다."

(前際無去, 今際無住, 後際無來)

주님도 이에 대해 분명하게 못 박고 계시지 않는가.

"(……) 그러므로 내일을 걱정하지 마라. 내일 걱정은 내일이 할 것이다. 그날 고생은 그날로 충분하다."(마태 6,34)

내가 내일을 걱정하고 두려워한다는 것은 전능하신 하느님의 자비를 믿지 못하기 때문이다. 빵을 달라는데 아버지께서 돌을 주시겠는가. 아들인 내가 생선을 달라는데, 뱀을 주시겠는가. 내가 두려워한다는 것은 아버지를 믿기보다 내 자신의 의지와 능력을 더 믿어 교만하기 때문일 것이다. 아들의 머리카락까지도 낱낱이 다 세고 계신 아버지께서 내 날개를 꺾어 땅에 떨어뜨리겠는가.

백척간두에서 유일하게 사는 방법은 한 발자국 더 나아가는 일이며, 성난 파도를 잠재우고 아버지의 눈을 뜨게 하는 유일한 방법은 치마를 뒤집어쓰고 인당수의 깊은 바다에 몸을 던지는 길이다.

프랑스의 시인 아폴리네르는 이렇게 노래했다.

그가 말했다.

벼랑 끝으로 오라.

그들이 대답했다.

우린 두렵습니다.

그가 다시 말했다.

벼랑 끝으로 오라.

그들이 왔다.

그는 그들을 밀어버렸다.

그리하여 그들은 날았다.

과거를 걱정하고 내일을 두려워하지 마십시오.

주님께서 우리를 벼랑 끝으로 부르시는 것은

우리가 날개를 가진 거룩한 천사임을 깨닫게 하시려는 것입

니다.

엿가락 기도

병세가 심각한 상황에 이르렀을 때, 문득 내 머릿속에 떠오른 성경 구절은 다음과 같은 것이었다.

"청하여라, 너희에게 주실 것이다. 찾아라, 너희가 얻을 것이다. 문을 두드려라, 너희에게 열릴 것이다. 누구든지 청하는 이는 받고, 찾는 이는 얻고, 문을 두드리는 이에게는 열릴 것이다."
(마태 7.7)

이것은 무기력한 내가 선택할 수 있는 유일한 희망이었다. 문을 두드리는 길은 기도뿐이었으며, 내가 찾고 구할 수 있는 대상은 오직 기도를 통한 주님뿐이었다.

나는 미친 듯이 기도에 매달렸다. 그러나 기도에 열중하여도 좀처럼 내 가슴에는 평화가 깃들지 않았다. 부활하신 예수께서 우리 한가운데 서시며 내려주신 '그리스도의 평화'가 내 마음에 여전히 찾아오지 않았던 것이다.

그러던 어느 날, 나는 내 기도가 틀렸다는 사실을 깨달았다.

내 기도는 "주님, 제 병을 고쳐주십시오.", "주님, 기적을 베풀어주십시오.", "주님, 제 병을 고쳐주시면 주님을 위한 글을 쓰겠습니다."라는 식의 주님과 벌이는 흥정이었으며, 조건부 협상이자 벼랑 끝 전술임을 깨달았던 것이다. 그것은 엄밀히 말하면 감히 주님께 던지는 막무가내 식 생떼이자 명령이자 협박이었다.

성모님은 "이 몸은 주님의 종입니다. 말씀대로 이루어지기를 바랍니다."라고 순종하셨고, 주님께서도 피땀을 흘리시며 "제 뜻대로 하지 마시고 아버지의 뜻대로 하소서." 하고 순명하시지 않으셨는가.

불경에는 '무엇이든 구하는 것이 있으면 모든 것이 고통이요, 구하는 것이 없으면 모든 것이 즐거움이다.'라는 명구가 있다. 당나라의 선승 마조(馬祖)는 말했다.

"진정으로 법을 구하는 사람은 구하는 것이 없어야 한다."(夫求 法者 無所求)

성 프란체스코 살레시오도 말하였다.

"아무것도 청하지 말고, 아무것도 거절하지 말라."

그렇다. 내가 그처럼 열심히 기도를 했지만 마음의 평화를 얻지 못했던 것은 잘못 구하고, 잘못 찾고, 잘못 문을 두드렸기 때문일 것이다. 내가 주님께 드릴 수 있는 최고의 기도는 '아무것도 구하지 않음을 구하는 기도'였던 것이다.

십자가의 성 요한은 이렇게 말했다.

모든 것을 맛보기에 다다르려면 아무것도 맛보려 하지 마라.

모든 것을 얻기에 이르려면 아무것도 얻으려 하지 마라.

모든 것이 되기에 이르려면 아무것이 되려고 하지 마라.

모든 것을 알기에 이르려면 아무것도 알려고 하지 마라.

맛보지 못한 것에 이르려면 맛없는 그곳을 거쳐서 가라.

모르는 그곳에 이르려면 모르는 그곳을 거쳐서 가라.

가지지 못한 곳에 이르려면 가지지 않는 곳을 거쳐서 가라.

그대 있지 않는 곳에 이르려면 그대 있지 않는 곳을 거쳐서 가
라.

아직 다다르지 않는 곳에 다다르려면 도중 아무 곳에도 발을
멈추지 마라.

바로 그 무렵 정진석 추기경님께서 내게 전화를 주셨다. 추기경께서는 단 한 마디만 전했다.

"베드로 형제님, 하느님을 믿으세요."

나는 깨달았다. 하느님을 믿는다, 믿는다 하면서도 정작 하느님을 믿지 못했던 것이다. 주님께서도 분명히 못 박고 계시지 않는가.

"너희 아버지께서는 너희가 청하기도 전에 무엇이 필요한지 알고 계신다."(마태 6,8)

내가 그토록 기도했으면서도 마음의 평화를 얻지 못했던 것은 내가 구하기 전에 이미 필요한 것을 알고 계시고 이를 구해 주시는 아버지 하느님을 믿지 못했기 때문이었다.

요즘 나의 기도는 엿가락 기도로 바뀌었다.

"주님, 이 몸은 목판 속에 놓인 엿가락입니다. 그러하오니 저를 가위로 자르시든 엿치기를 하시든 엿장수이신 주님의 뜻대로 하십시오. 주님께 완전히 저를 맡기겠사오니 제가 그렇게 되도록 은총 내려주소서. 우리 주 엿장수의 이름으로 바라나이다. 아멘."

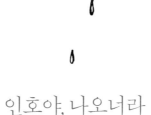

인호야, 나오너라

지난 5년 동안 내게 큰 위안이 되었던 것은 성경의 말씀이었다. 그중에서도 항상 마음에 떠오르는 장면은 죽은 나자로를 살리는 주님의 모습이다. 오빠 나자로가 앓고 있다고 누이들이 사람을 보내어 예수께 아뢰자 주님은 말씀하신다.

"그 병은 죽을병이 아니다. 그것으로 오히려 하느님의 영광을 드러내고 하느님의 아들도 영광을 받게 될 것이다."

나자로가 죽은 후 예수께서는 "그가 잠들어 있으니 내가 가서 깨워야겠다."고 말씀하시고 베나디아 동네에 이르신다. 이미 죽은 지 나흘이 되었다고 마리아와 사람들이 우는 것을 보시자 '예수께서는 눈물을 흘리신다.' 아아, 눈·물·을·흘·리·신·다.

하느님께서 나자로를 위해 비통한 심정으로 우셨다. 그리고 무덤으로 가서서 "돌을 치우라"고 하신다. 마르타가 "죽은 지 나흘이 되어서 벌써 냄새가 납니다."라고 말하자 주님은 하늘을 우러러보시며 기도를 하신 후 "나자로야, 나오너라!" 하고 외치신다. 외 · 치 · 신 · 다.

아아, 주님께서 나를 향해 눈물을 흘리시고 우시며 "최인호야, 나오너라."라고 외치신다. 지금 이 순간, 바로 이곳에서 말이다.

지금 이 순간 병상에 누워 계신 환자 여러분, 바로 이곳에서 온갖 고통과 어려움으로 신음을 하고 있는 내 다정한 이웃 여러분, 주님의 말씀대로 우리를 죽일 병은 없습니다. 감히 바이러스가, 암세포가 사람을 죽이지는 못합니다. 우리를 죽일 수 있는 것은 '참새 한 마리도 하느님께서 허락지 않으시면 땅에 떨어지지 않듯이'(마태 10.29) 오직 하느님뿐이십니다. 설혹 우리가 죽는다고 해도 그것은 주님께서 말씀하신 대로 잠든 것에 불과합니다. 주님께서는 우리를 깨워주실 것입니다.

　우리를 죽이는 것은 육체를 강한 무기로 삼고 있는 악입니다. 절망, 쾌락, 폭력, 중독, 부패, 전쟁, 탐욕, 거짓과 같은 어둠이 우리의 육체뿐 아니라 영혼까지 한꺼번에 죽이는 것입니다. 악은 죽음을 담보로 산 사람을 스스로의 동굴에 가두고, 살아 있음에도 불구하고 냄새를 풍기는 산송장으로 만들고 있습니다. 우리는 깨어나야 합니다. 깨어나서 동굴 밖으로 나가야 합니다. 성직자들인 의사들과 간호사들은 힘을 합쳐서 어두운 동굴 문을 막은 돌을 치워줄 것입니다.

주님께서 동굴 안으로 들어와 제 손을 잡아 일으킬 수는 없습니다. 일어서서 동굴 밖으로 나가는 것은 우리들의 몫입니다.

　우리들이 눈을 뜨기 위해서는 직접 실로암 연못으로 가서 눈을 씻어야 하고(요한 9.7), 걷기 위해서는 병상에서 요를 걷어들고 일어나야 하는 것(요한 5.8)처럼 말입니다. 나자로를 살린 것은 주님의 말씀을 따라 동굴 밖으로 나온 믿음의 용기 때문인 것입니다. 눈을 뜬 것은 저와 같은 장님이지 주님이 아닙니다. 앉은뱅이에서 일어선 것은 우리와 같은 중풍환자이지 주님이 아닙니다.

영화 〈빠삐용〉의 마지막은 스티브 맥퀸이 야자열매를 실은 부대자루와 함께 절벽에서 뛰어내려 망망대해를 떠가면서 외치는 장면입니다.

"야, 이 자식들아, 나는 살아 있다!"

우리도 나자로처럼 죽음의 동굴 속에서 '손발은 무기력의 베로 묶이고 얼굴은 우울과 절망의 수건으로 감긴 채' 누워 있지 말고 동굴 밖으로 나가야 하며, 스티브 맥퀸처럼 섬의 감옥에 갇혀 있지 말고 푸른 바다 위로 뛰어내리며 외쳐야 합니다.

"여보, 나는 살아 있어! 정원아, 윤정아! 이 할아버지는 살아 있다. 사랑한다."

성 아우구스티누스는 말했습니다.

"과거는 주님의 자비에 맡기고, 현재는 주님의 사랑에 맡기고, 내일은 주님의 섭리에 맡겨라."

우리의 의지로 헤엄치려 하지 말고 온전히 주님의 자비와 사랑과 섭리에 맡기면 주님의 파도가 우리를 신대륙으로 이끌어 영원한 생명의 나라에 이르게 할 것입니다.

살려고 하면 죽고,
죽으려 하면 산다

최근 사람들로부터 가장 많이 듣는 말 중에 하나는 '무리하지 마세요.'라는 말이다. 나를 아끼는 따뜻한 위로의 말임을 알고 있지만, 요즘엔 내 주치의인 성모병원의 강진형 교수가 "무리하지 마세요." 하고 말하면 나는 이렇게 대답한다.

"그럼 누워서 환자 노릇만 하란 말이오? 의사 말대로 하면 다 죽어요. 의사의 말 반대로 하면 살아난대두."

나도 처음에는 가능하면 몸을 움직이지 않고 누워서 푹 쉬려고 생각했다. 그러나 누워서 잠만 자고, 책 보고, 꼼짝 않고 텔레비전만 보노라니 점점 무기력해지고 우울해져서 그야말로 완전한 환자가 된 비참한 느낌이었다. 그래서 가능하면 몸을 움직이기로 결심했다.

아파트 복도에서 끝까지 걸어보니 오십 보, 한 바퀴 돌아오면 정확히 백 보였다. 어지럽고 현기증이 나서 쓰러질 것 같았지만 나는 시간만 나면 복도를 걸었다. 어떤 날은 하루 종일 백 바퀴를 돌아 만 보를 채우기도 했다. 도저히 엄두가 나지 않았지만 운전대도 잡았고, 가까운 거리는 차를 타고 갔다. 그러다가 거리를 늘려 한남동에 있는 작업실에도 나갔다. 내키면 청계산에 가서 쉬엄쉬엄 약수터까지 걸어가고 멀리 여행도 떠나는 등 가능하면 내게 아무런 일이 없었던 것처럼 일상생활을 했다.

일찍이 당나라의 선승 동산(洞山)에게 한 스님이 찾아와 물었다.

"추위와 더위가 찾아오면 이를 어떻게 피해야 합니까?"

동산이 대답했다.

"추위와 더위가 없는 곳으로 가면 되지 않겠느냐."

"그렇다면 도대체 어디가 추위와 더위가 없는 곳입니까?"

그러자 동산이 소리쳤다.

"이놈아! 추울 때는 그대를 더 춥게 하고, 더울 땐 그대를 더 덥게 하는 곳이다."

우리는 추우면 본능적으로 더운 곳으로 피하려 한다. 더운 곳으로 피하면 추위는 일시 가실 수 있을지는 모르지만 추위를 벗어난 것은 아니다. 마찬가지로 우리는 고통이나 근심이 있을 때 술을 마시거나 다른 방법을 통해 고통을 피하려 한다. 피하고 잊는다고 해서 고통이 없어지는 것은 아니다. 오히려 그 고통은 더 큰 고통으로 다가오게 될 것이다. 추위를 피하려면 애써 더 추운 곳으로 찾아가라는 동산 스님의 말은 고통이 오면 더욱 그 고통을 직시하라는 뜻이다.

중국의 도가서(道家書)인 『열자(列子)』에는 전설적인 신궁 비위(飛衛)의 이야기가 나온다. 제자 기창(紀昌)이 찾아와 활쏘기를 배우려 하자 비위가 말한다.

"활쏘기보다, 먼저 눈을 깜빡거리지 않고 끝까지 보는 공부부터 하게."

이순신 장군도 말씀하셨다.

"살려 하면 죽을 것이요, 죽으려 하면 곧 살 것이다." (生卽必死 死
卽必生)

주님도 이렇게 못 박고 계시지 않는가.

"제 목숨을 얻으려는 사람은 목숨을 잃고, 나 때문에 제 목숨
을 잃는 사람은 목숨을 얻을 것이다."(마태 10,39)

겁에 질려 두려움에 떨고 있는 목자들에게 천사들이 나타나
"두려워하지 마라. 보라, 나는 온 백성에게 큰 기쁨이 될 소식
을 너희에게 전한다."(루카 2,10)고 찬양하였듯이, 우리가 겪는 이
들판에서 밤을 새우며 견디는 추위는, 이 병은, 이 슬픔과 고통
은 주님께서 주시는 기쁜 소식을 누구보다 먼저 듣기 위한 특별
한 은총이니, 지금 여기에서 무리를 해서라도 일어서야 한다. 무
리를 해서라도 길 수 있으면 기고, 걸을 수 있으면 걷고, 달릴 수
있으면 뛰어서 양 떼를 지키던 목자들처럼 '구유 위에 누운 아
기예수를 보러 가야 한다.' 그렇게 되면 우리들은 기쁨에 젖어
하늘의 군대와 천사와 함께 하느님을 찬양하는 노래를 부르게
될 것이다.

―하늘 높은 곳에서는 하느님께 영광, 땅에서는 그가 사랑하
는 사람들에게 평화.

주님, 이틀만 더 남국의
햇볕을 베풀어주소서

'님은 갔습니다. 아아, 사랑하는 나의 님은 갔습니다.'로 시작
되는 「님의 침묵」에서 한용운은 노래했다.

'날카로운 첫 키스의 추억은 나의 운명의 지침을 돌려놓고 뒷
걸음질 쳐서 사라졌습니다.'

무엇이든 한 처음의 추억은 신새벽의 처녀성을 갖고 있다. 첫
사랑, 첫눈, 첫날밤처럼 첫 키스의 추억이야말로 그대와 나, 우
리의 인생에 있어 영혼의 부싯돌끼리 부딪쳐 일어나는 날카로
운 섬광과 같은 것이다.

주님은 수많은 기적을 베풀어주셨다. 그 첫 번째 기적은 공생활을 시작하자마자 행하신, 물을 포도주로 변화시킨 것이다. 혼인잔치 도중에 성모님이 "포도주가 떨어졌다."고 말씀하시자 주님은 "아직 때가 오지 않았습니다."라고 거절하신다. 그러나 성모님이 종들에게 "무엇이든 그가 시키는 대로 하여라."라고 이르시자 주님은 항아리에 물을 가득 채우라 하시고 그것을 손님들에게 갖다 주라고 말씀하신다. 술맛을 본 사람이 신랑을 불러 "손님들이 취한 다음에는 덜 좋은 것을 내놓는 법인데, 이 좋은 포도주가 아직까지 있으니 웬일이오?" 하고 감탄한다.

얼핏 보면 죽은 사람을 살리고, 나병환자를 낫게 하고, 앉은뱅이를 걷게 하는 극적인 기적과 달리 첫 번째 기적은 이처럼 물을 포도주로 바꾸는, 아직 때가 오지 않았음에도 어머님의 간청에 못 이겨 행하신 지극히 사소하고 사적인 마술처럼 보인다.

그러나 이 장면은 내게 엄청난 기적을 베풀어주신 주님의 놀라운 은총과 정확하게 일치하고 있다. 앞서 최고의 기도는 '아무 것도 구하지 않음을 구하는 엿가락의 기도'라고 잘난 체하였지만 내가 숨겨둔 비장의 카드는 막무가내 식 '떼' 기도다. 성모님께 드리는 로사리오의 기도를 드릴 때면 나는 체면이고 자존심이고 창피도 없다.

누가 엄마에게 고상하게 매달리는가? 성모님은 주님과 달리 결혼도 하셨고, 아이를 낳으셨고, 산후 조리도 못하고 이집트로 피난까지 가셨다. 가난한 목수의 아내로 고생하셨고, 예수님이 열두 살 되던 해에는 무단가출한 문제아들 때문에 사흘이나 '줄 곧 찾아 헤매었는데도'(루카 2,46) 막상 찾아내어 "애야, 왜 우리를 애태우느냐?"라고 한 마디 하자 "왜 나를 찾으셨습니까?"라는 불효막심한 대답까지 듣는다. 남편이 일찍 죽어 과부가 되셨고, 십자가에 매달린 아드님이 입었던 '위에서 아래까지 솔기 없이 통으로 짠 옷'(요한 19,24)까지 길쌈하며 지켜봐야 했던 비극의 여 인이셨다.

5년에 걸친 투병 생활 중에 내가 가장 고통스러웠던 것은 글을 쓸 수 없는 허기였다.

피어나지 않으면 꽃이 아니고, 노래 부르지 않으면 새가 아니듯, 글을 쓰지 않으면 나는 더 이상 작가가 아니다. 그러나 창작은 고도의 집중력과 체력이 요구되는 극한의 정신노동과 같은 것이다. 항암치료로 지칠 대로 지친 육체와 황폐한 정신력으로는 도저히 감당해낼 수 없는 불가능한 희망이었다.

나는 내가 작가가 아니라 환자라는 것이 제일 슬펐다. 나는 작가로 죽고 싶지, 환자로 죽고 싶지는 않았다.

그래서 언제부터인가 성모님께 생떼를 쓰기 시작했다.

"아이고, 어머니, 엄마. 저 글 쓰게 해주세요. 앙앙앙앙, 아드님 예수께 인호가 글 좀 쓰게 해달라고 일러주세요. 엄마, 오마니, 때가 되지 않았다 하더라도 아드님은 오마니의 부탁을 거절하지는 못하실 것입니다. 앵앵앵앵, 오마니, 저를 포도주로 만들게 해주세요. 이 세상을 잔칫날로 만들 수 있는, 사람을 취하게 하는 좋은 포도주로 만들게 해주세요. 아드님이 말을 듣지 않으면 '너 때문에 내가 얼마나 고생했는지 아느냐'(루카 2,48 참조) 하고 혼을 내세요. 아이고, 엄마, 어무니, 으잉 으잉잉잉잉."

내 방 탁자 위에는 1987년 여름, 영세 받을 때 선물로 받은 키 60센티미터 정도의 '파티마' 성모상이 있다. 나는 매일 막무가내 식 '떼' 기도를 올릴 때마다 성모상을 두 팔로 껴안고 합장하여 모은 성모님의 손에 머리를 들이댄 공격적인 자세로 묵주기도를 올렸다. 어떻게 보면 불경스러운 자세였지만 성모님은 아기예수를 가슴에 안고 젖을 먹이기도 했을 터이니, 내가 가슴에 얼굴을 묻고 엉엉 운다고 해서 성모님이 나를 매정하게 밀치시겠는가.

그러던 어느 날 나는 무슨 자국을 보았다. 바탕이 짙은 초콜릿 빛깔인 탁자 위, 내가 기도하는 바로 앞자리 위만 하얀 얼룩무늬가 번져 있었다. 그것이 무엇인가 살펴보았더니, 내가 흘린 눈물 자국이었다. 눈물에 강한 소금기가 있다는 상식은 알고 있었지만 옻칠한 탁자를 탈색시킬 만큼 방울진 눈물 자국이 작은 포도송이처럼 맺혀 있는 모습을 보자, 나는 제 슬픔에 겨워 닥치는 대로 떼를 쓰기 시작했다.

"아이고, 주님, 정말 이러시깁니까? 때가 어디 있습니까? 주님의 때는 바로 지금이 아닙니까? 제가 비록 주님을 모시기엔 합당치 않사오나 '항아리마다 물을 가득 부어라'(요한 2.7)라고 이르셨듯이 제 육체의 항아리에 '물을 부어라'라고 한 마디만 하시면 제가 포도주가 될 수 있을 것이 아닙니까? 앙앙 엉엉엉."

결론적으로 말하면 2010년 10월 27일, 마침내 나는 소설을 쓰기 시작했다. 항암치료로 빠진 손톱에는 약방에서 고무 골무를 사다 끼우고, 빠진 발톱에는 테이프를 칭칭 감고 구역질이 날 때마다 얼음 조각을 씹으면서 미친 듯이 하루에 원고지 20에서 30매씩 하루도 빠지지 않고 원고를 썼다. 반세기에 가까운 작가 생활을 하는 동안 누구보다 왕성하게 글을 많이 썼던 나였지만 이렇게 집중하고 이렇게 단숨에 활기 넘쳐 창작을 했던 적은 없었다. 누군가 불러주는 내용을 받아쓰는 느낌이었으며 내 손은 자동 재봉틀처럼 저절로 작동하고 있었다. 그리하여 12월 26일, 정확히 두 달 만에 1,200매의 전작 장편소설을 완성할 수 있었던 것이다.

소설의 제목은 '낯익은 타인들의 도시'다. 작품이 좋고 나쁜 것을 떠나서 성모님은 아드님께 내 기도를 전해주셨고, 주님께서 기적을 베풀어주시어 나를 포도주로 만들어주신 것만은 명백한 사실이다. 내가 쓴 글을 보고 많은 사람들은 이렇게 말했다.

"처음엔 좋은 작품을 쓰다가 나중에는 (나이가 들수록) 덜 좋은 것이 나오는 법인데 이 좋은 작품(포도주)이 병중에 나오니 웬일이오?"_(요한 2,10 참조)

나는 이미 수없이 많은 글을 써왔다. 만약 이번에 쓰는 이 글이 먼젓번 글보다 더 독자들을 거나하게 취하게 한다면 그것은 주님께서 나의 '떼'기도에 '항복!'하시고 질 좋은 포도주로 만들어주셨기 때문일 것이다.

독일의 시인 릴케는 「가을날」에서 노래했다.

주님, 때가 왔습니다
여름은 아주 위대했습니다.
당신의 그림자를 해시계 위에 놓으시고
벌판에 바람을 놓아주소서.

마지막 잎새들이 탐스럽게 무르익도록 명해주시고
그들에게 이틀만 더 남국의 햇볕을 베풀어주소서
열매들이 무르익도록 재촉해주시고
무거운 포도송이에 마지막 단맛이 스며들게 해주소서.

지금 집 없는 이는 어떤 집도 짓지 않습니다.
지금 외로운 이는 오랫동안 외로이 머물러
잠 못 이루어, 책을 읽고 긴 편지를 쓸 것입니다
그리고 잎이 지면 가로수 길을
불안스레 이곳저곳 헤맬 것입니다.

자비로운 주님은 내게 이틀만 더 남국의 햇볕을 베풀어주셨
다. '무거운 포도송이에 마지막 단맛이 스며들게' 해주셨다. 그
리하여 눈물의 포도송이는 포도주가 되었다.

이틀이면 충분하나이다. 우리 모두 서정주의 시 「행진곡」에서 처럼 '결국은 조금씩 취해가지고 돌아가는 사람들이오니 주님, 초대받고 온 저마다의 손님들에게 더 좋은 포도주를 충분히 대접하고 흥겨운 잔칫날을 마무리할 수 있도록, 지금 고통받는 사람들, 지금 슬퍼하는 사람들, 지금 울고 있는 사람들 모두에게 인생의 잔칫날에서 향기로운 포도주가 되어 조금씩 취해서 '빠알간 불 사르고 재를 남기고' 돌아갈 수 있도록 주님, 이틀만 더 남국의 햇빛을 허락하소서. 우리를 향한 주님의 첫사랑, 포도주의 첫 기적을 지금 여기서 베풀어주소서. 아멘.

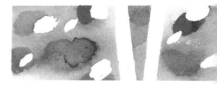

주님, 제가 믿음을 잃지 않도록 기도하여 주소서

인디언의 기도는 하느님이 틀림없이 들어준다는 속설이 있다. 가령 비가 오지 않을 때 인디언이 기우제(祈雨祭)를 올리면 어김없이 비가 내린다는 것이다. 그 이유는 간단하다. 비가 올 때까지 계속 기우제를 올리기 때문이란다.

곰곰이 생각해보면 나의 기도도 마찬가지다. 분명한 사실은 주님께서 나의 어떤 기도도 들어주지 않은 적이 없다는 것이다. 나의 기도는 백발백중이다. 아니, 내 기도의 적중률은 인디언의 기도를 능가한다. 왜냐하면 내가 필요에 의해서 구했던 것은 물론이고, 그 밖에 있어야 할 것을 잘 알고 계신 아버지께서는 보너스로 나머지도 '곁들여 받게 해주셨으므로'(마태 6.33) 백 퍼센트를 훨씬 초과 달성해주신다.

그것은 우리 모두 마찬가지다. 기도를 하면 주님은 악하고 선한 사람들을 가리지 않고, 누구에게나 똑같이 햇빛을 주시고 비를 내려주시듯 모두의 기도를 들어주신다.

기도는 하느님과 통화할 수 있는 단 하나의 핫라인이다. 이 긴급 직통전화를 통하지 않고서는 하느님을 만날 수도, 기도를 청할 수도, 대화를 나눌 수도 없다. "주님의 사랑 안에 머물기 전에는 우리는 모두 불완전한 존재"라는 아우구스티누스의 말처럼 말이다. 기도는 하느님께 "살려 달라."고 구조 요청을 할 수 있는 유일한 SOS의 모스부호다. 그러므로 사랑 그 자체이신 주님이 우리의 기도를 들어주시지 않는다면 니체의 말처럼 하느님은 죽은 신에 불과할 것이다. 주님은 기회가 있을 때마다 우리에게 분명히 말씀하신다.

"너희 가운데 두 사람이 이 땅에서 마음을 모아 무엇이든 청하면, 하늘에 계신 내 아버지께서 이루어 주실 것이다."(마태 18,19)

문제는 기도를 백 퍼센트 들어주시는 주님의 은총을 우리가 눈이 어두워 깨닫지 못한다는 것이다.

성경에도 나처럼 눈이 어두운 소경이 나온다. 주님께서 예루살렘으로 올라가고 계실 때 나병환자 열 사람을 만나셨다. 그들은 멀찌감치 떨어져서 자비를 베풀어 달라고 청하였고, 주님은 "사제들에게 너희의 몸을 보여라." 하고 이르신다. 열 명의 환자는 사제를 향해 가는 동안 몸이 깨끗해졌다. 그러나 한 사람만이 주님께 돌아와 발 앞에 엎드려 감사를 드린다. 주님은 "나머지 아홉 사람은 어디 갔느냐?" 하고 물으시며 돌아온 환자에게 "일어나 가거라. 네 믿음이 너를 살렸다." 하고 축복하셨다.

이 장면을 볼 때마다 나는 내가 돌아와 엎드려 감사를 표한 환자이지 고마움을 모르는 아홉 사람 중 하나라고는 꿈에도 생각하지 않았다. 그러나 나야말로 주님께 돌아와 찬양한 환자가 아니라는 사실을 깨달았다. 왜냐하면 하루에도 헤일 수 없이 수많은 기도를 올리면서도 주님은 시치미를 떼고 감쪽같이 기적의 흔적을 남기시지 않고 완전범죄(?)를 저지르시기에 아홉 환자처럼 조금 전까지 자비를 베풀어 달라고 울며 기도했던 순간마저 잊어버리고, 그것이 당연한 결과라도 되는 양 의기양양하게 주님에게서 멀어져가는 이방인이기 때문인 것이다.

독일의 철학자 쇼펜하우어는 말했다.

"인간은 고통을 느끼지만 고통이 없다는 것은 못 느낀다. 두려움을 느끼지만 평화는 못 느끼며, 갈증이나 욕망은 느끼지만 그것이 이루어지면 금세 잊어버린다. 마치 심한 갈증으로 허겁지겁 물을 마신 후에는 남은 물을 버리는 것처럼."

나는 끊임없이 기도를 통해 애원하면서도 막상 내 기도를 들어주신 주님의 은총을 깨닫지 못하고 쇼펜하우어의 말처럼, 이루어진 기도를 금방 잊어버리고 남은 물을 버리는, 엎드려 찬양할 줄 모르는 정신적 나환자다. 아아, 참으로 불쌍한 것은 오히려 그렇게 사랑을 베풀어주셨음에도 잠깐 사이에 세 번이나 배신하는 나의 약하디약한 베드로 같은 믿음이다.

오, 주여. 저에게 자비를 베푸소서. 제 발을 씻겨주시고 무엇보다 "제가 믿음을 잃지 않도록 저를 위해 기도하여 주소서."(루카 22,32 참조)

지금이 바로 그때다

최근 러시아의 시베리아 콜리마 강둑에서 다람쥐 굴이 발견되었다. 원래는 표토층인데, 빙하기 때문에 40미터의 얼음 두께로 덮여 있던 툰드라지역이었다. 다람쥐는 먹이를 구하면 훗날을 대비해서 저장해두는 습성이 있으므로 70여 개의 다람쥐 굴에서는 씨앗과 열매가 다량으로 출토되었다. 과학자들이 방사선으로 연대를 측정한 결과 이 식물들은 3만 2천 년 전의 것으로 확인되었다.

　대부분의 기온이 영하에 머무는 천연 냉장고 같은 지역이어서 다행히 씨앗들은 썩지 않고 생명력을 지니고 있었다. 러시아의 세포생물 과학자들은 수차례의 실패 끝에 씨방 속 태좌(胎座) 세포를 채취한 뒤 배양액에서 이 조직을 증식시켜 싹을 틔운 다음 일반 토양에 옮겨 심어 꽃을 피우는 데 성공했다.

　복잡한 과정을 거쳐 피어난 이 아름다운 꽃은 모두 네 송이. 꽃 이름은 패랭이꽃과의 일종인 '실레네 스테노필라'다. 3만 2천 년 만에 꽃을 피운 것이다.

1974년 아프리카 에티오피아 하다르 사막에서 '루시(Lucy)'가 발견됨으로써 하느님이 인류를 창조한 시기를 350만 년 전으로 추산하는 것이 고고학적 정설이지만, 인류 최초의 문명이 탄생된 시기는 기원전 3,500년 전으로 3만 2천 년 만에 피어난 '스테노필라'보다 훨씬 짧은 찰나에 불과하다.

　　단군 할아버지가 하늘에서 내려온 것도 이 꽃에 비하면 한 순간이고, 아브라함이 계약을 맺고 가나안으로 떠난 것도 찰나다. 수많은 성서학자들은 구약성서에 기초하여 천지창조의 시기를 최대 기원전 5천 년 정도로 추산하고 있으니, '스테노필라'야말로 천지창조 이후에 처음으로 핀 처녀 꽃이라 할 수 있을 것이다.

　　우리가 믿는 주 예수 그리스도가 십자가에 못 박혀 돌아가신 것도 이 꽃의 눈으로 보면 바로 지금 이 순간 일어나고 있는 현재진행형일 따름이며, 우리들의 짧은 인생은 존재하지도 않는 일촌광음(一寸光陰)에 지나지 않는다.

3만 2천 년 만에 피어난 '스테노필라'는 우리에게 영원한 생명의 신비를 말해주고 있다. 시간과 공간과 역사와 문명 따위는 저 한 송이의 꽃에 비하면 존재하지도 않는 거짓 환상일 뿐이다. 저 꽃은 천지창조 이전부터 '사람'을 사랑하신 하느님께서 보여주신 영광이다. 씨앗은 다람쥐에 의해 굴 속에 파묻힌 이후 3만 2천 년을 기다렸다. 언젠가는 꽃피게 될 것임을 굳게 믿고 기다려 왔다. 그동안 대륙이 무너지고 얼음이 얼고, 바다와 땅이 갈라지고, 홍수가 온 땅을 덮어도 씨앗은 기다린다는 생각 없이 기다렸다.

마찬가지로 그대와 나, 우리 모두는 부모들이 태어나기 전의 '한 처음'으로부터 온 '사람'의 씨앗이며, 하늘과 땅이 갈라지기 전의 창세기로부터 온 '사람'의 열매다. 우리가 진정 '오직 한 분이신 하느님 아버지를 알고 또 아버지께서 보내신 예수 그리스도를 믿는다'(요한 17.3)면 우리들은 모두 영원한 생명의 꽃으로 피어날 것이다.

3만 2천 년 만에 피어난 '스테노필라'에 비하면 '주님이 오실 날도 이미 가까워져 주님은 문 앞에 서 계실 것'(야고 5.7)이다. 그렇게 보면 기다리는 것은 씨앗인 우리가 아니라, '집으로 돌아오는 아들을 멀리서 지켜보고 있는 아버지'(루카 15.20) 하느님이시며, '제일 좋은 옷을 꺼내 입히고 가락지를 끼우고 꽃신을 신겨 주심'으로 우리 모두는 영원한 생명을 가진 '참사람(眞人)'의 꽃으로 눈부시게 부활하게 될 것이다.

'죽은 이들이 하느님 아들의 목소리를 듣고 또 그렇게 들은 이들이 살아날 때가 온다. 지금이 바로 그때다.'(요한 5.25)

어린이는 어른의 아버지

지금으로부터 정확하게 62년 전이었던 1950년 7월, 우리 가족은 출애굽(出埃及)을 단행했다. 모세였던 엄마의 지휘 하에 큰누이를 비롯한 여섯 가족들은 숨어 지내고 있던 아버지를 찾아서 청계산을 향해 출발했다.

그때 나는 다섯 살의 어린이. 불과 며칠 동안의 짧은 여정이었지만, 이상하게도 이스라엘 민족이 하느님께서 약속하신 땅을 향해 떠난 출애굽기와 같은 40년의 고난과 맞먹을 수 있는 그 숨 막히는 탈출 과정을 지금도 생생하게 기억하고 있다.

도강에 성공한 것이 홍해가 갈라지는 기적까지는 아니었지만, 다리가 끊어진 상황에서 마흔 살 초반의 엄마가 스무 살의 다 큰 처녀에서부터 이제 겨우 두 살인 젖먹이까지 거느리고 나룻배를 구해 한강을 건넌 것은 '지팡이를 들고 바다 위로 팔을 펼쳐 물을 가른' 모세의 기적과 크게 다르지 않았다.

한강을 건너자 짐을 실은 수레바퀴가 모래사장에 빠져서 옴짝달싹도 하지 못했다. 다섯 살의 나까지 수레에 달라붙어 온 가족이 비오는 모래밭을 간신히 벗어나자 곧 어둠이 내렸다.

주인이 피난 가고 없는 빈 집에서 엄마는 우리들을 위해 밥을 짓고 모기장을 쳤다. 하룻밤 잔 곳은 누에를 기르던 양잠실이었는데, 사방에 누에가 죽어 있어 싸락눈이 내린 듯하였고, 비릿한 냄새가 났다. 밤새도록 쌕쌕이 소리가 나고, 멀고 가까운 곳에서 쿠앙쿠앙 폭발음이 나도 나는 내일이면 아빠를 만날 수 있다는 기쁨에 켄터키 옛집의 검둥이처럼 마루를 구르며 세상모르고 잤다.

다음 날 일찍 아버지를 향해 길을 떠났다. 아아, 그 무덥던 긴 여름날……. 햇살은 눈부셨고 길은 가도 가도 끝없이 옥양목의 빨래처럼 펼쳐져 있었다. 더위를 먹어 배는 남산만큼 튀어나왔고 머리에는 헌데가 나서 견딜 수 없이 아팠지만 나는 뒤뚱뒤뚱 오뚝이처럼 걸었다. 한 고개를 넘으면 엄마가 말했다.

"저 고개만 넘으면 아버지가 있다."

이 말 한 마디면 다섯 살의 어린이였지만 나는 벌떡벌떡 일어섰다. 아빠를 만날 수 있는데 더위쯤 대수랴. 물럿거라, 대갈장군(어릴 적의 내 별명이다) 나가신다. 휘이휘이 물럿거라. 골목대장 나가신다.

나는 기억하고 있다, 법조인의 신분을 숨기고 전란을 피해 미리 피난 와 수염을 기르고 밀짚모자를 쓴 농군 모습의 아빠가 성황당 앞에서 우리를 기다리고 있다 미친 듯이 뛰어나와 맞아주던 모습을. 나를 헹가래 쳐서 하늘에 번쩍 들어 올렸다가 부둥켜안던 그 우주와 같던 품속을.

그렇게 우리 가족의 출애굽은 끝이 났고 그해 여름 한철을 청계산 계곡에서 텐트를 치고 살았다.

요즈음 나의 화두는 바로 이 다섯 살 때의 기억이다. 나는 그 때 아빠를 만날 수 있다는 기쁨 하나로 무더위와 부스럼의 고통을 견딜 수 있었다. 전쟁의 공포도 없었고, 죽음에 대한 두려움도 없었다. 고개 하나 넘으면 아빠가 있다는 말 한 마디만이 생명이요, 힘이요, 구원이었다.

나는 물론 알고 있다, 내 인생의 고갯길 저 너머에는 육신의 아버지가 아니라 나보다 더 나를 사랑하시는 영혼의 하느님 아버지가 기다리고 있음을. 그럼에도 불구하고 예순일곱의 어른인 나는 다섯 살의 어릴 때보다 더 큰 두려움과 고통과 불안과 미혹으로 흔들리고 있다.

주님은 "너희가 회개하여 어린이처럼 되지 않으면, 결코 하늘나라에 들어가지 못한다."(마테 18.3)라고 말씀하셨다. 그렇다. 예순일곱의 나는 훨씬 지혜롭고 똑똑해졌을지는 모르지만 다섯 살의 철부지였던 그때의 나보다 아버지에 대한 믿음이 온전하지 못한 것이 명백한 사실이다.

그러므로 주님,

워즈워스의 「무지개」처럼 '어린이는 어른의 아버지 / 내 하루 하루가 / 자연의 숭고함 속에 머물기를' 비오니,

주님,

저를 다시 한 번 물과 성령으로 단순하고 순진한 '어린이와 같은 사람'으로 거듭 태어나게 하소서.

우리 주 그리스도의 이름으로 비나이다. 아멘.

겨자씨의 비밀

불교의 경전인 『유마경』에는 수수께끼와 같은 구절이 있다.

'겨자(芥)씨 속에 수미산이 들어 있다.'

수미산(須彌山)은 불교의 우주관에서 나오는 세계의 중심에 있다는 산으로, 해와 달이 수미산의 허리를 돈다고 알려진 상상 속의 성산이다.

겨자씨는 티끌이나 먼지와 같은 극히 작은 물질을 상징하는 씨앗인데 그 속에 해와 달이 산허리를 돌 만큼의 거대한 수미산이 깃들어 있다는 것은 상상할 수 없는 모순이다. 이에 대해 의심을 품고 있던 당나라의 학자 이발(李勃)은 지상(智常) 스님을 찾아가 물었다.

"스님, 『유마경』에 이르기를, '수미산이 겨자씨 속에 들어 있다' 하였는데 어찌 그런 큰 산이 작디작은 겨자씨 속에 들 수 있습니까?"

이발은 평소 독서를 즐겨, 독파한 책이 만 권이 넘어서자 사람들이 '이만권'이라 칭하였던 당대의 대학자였다. 이 말을 들은 지상 스님은 웃으면서 대답했다.

"이발아, 사람들은 너를 '이만권'이라고 부르지 않더냐? 그러하면 너는 만 권의 책 내용을 어떻게 겨자씨와 다름없는 작은 머릿속에 넣을 수가 있었느냐?"

지상 스님의 선답은 알듯 말듯 하지만 주님의 말씀은 더욱 알쏭달쏭하다. 주님도 같은'겨자씨의 비유를 통해 수수께끼와 같은 말씀을 하고 계시기 때문이다.

"너희가 겨자씨 한 알만 한 믿음이라도 있으면, 이 산더러 '여기서 저기로 옮겨 가라.' 하더라도 그대로 옮겨 갈 것이다."(마태 17,20)

겨자씨는 주님께서 말씀하셨듯, '모든 씨앗 중에서 가장 작은 것'(마태 13,32 참조)이지만 이 작은 믿음만 있다면 주님은 우리가 산을 움직일 수 있을 뿐 아니라, "돌무화과나무더러 '뽑혀서 바다에 심겨라.' 하더라도, 그것이 너희에게 복종할 것이다."(루카 17,6)라고 못 박고 계신 것이다.

내가 가톨릭에 귀의한 것이 올해로 25년. 그동안 이 구절은 당대의 학자 이발처럼 항상 나에게도 풀리지 않는 의문이었다.

우선 주님의 이 말씀을 떠올리면 나는 기가 죽고 만다. 나는 믿음이 부족한 열등한 신자임을 부인하지 않는다.

이런 우스갯소리를 들은 적이 있다. 어느 날 한 신부님이 열심한 신자와 내기를 했다. 만약 그 신자가 〈주의 기도〉를 처음부터 끝까지 잡념 없이 그 뜻을 새기며 외울 수만 있다면 만 원을 주겠다고 말이다. 신자는 자신 있다고 대답하고 기도를 시작했다. 한참을 기도하다가 갑자기 눈을 뜨고 물었다.

"신부님, 성공하면 얼마라고 하셨죠? 만 원이었던가요, 오천 원이었던가요?"

이 우스갯소리 속의 주인공이 바로 나다. 〈주의 기도〉의 짧은 기도문도 나는 1%의 잡념 없이 끝까지 완벽하게 집중할 수 없다. 그러나 그렇다 하더라도 주님을 향한 내 믿음이 겨자씨 하나만큼 작다고 생각한 적은 한 번도 없었다. 그것이 얼마나 자존심이 상하는 말인가. 물론 나는 이 산을 저쪽으로 옮기거나 바다 속에 뽕나무를 심을 만큼의 큰 소망을 바라지는 않지만 주님을 향한 믿음이 겨자씨 한 개에도 미치지 못한다는 주님의 말씀은 참을 수 없는 슬픔이었다.

주일마다 빠지지 않고 미사에 참여하고, 묵주기도를 하고, 식사할 때마다 성호를 긋고, 가끔 주님이 주시는 위로에 눈물 흘리고, 하루에도 몇 번씩 주님을 향한 뜨거운 열정이 용솟음쳐도 주님을 향한 내 짝사랑이 겨자씨보다도 작다면 내가 주님을 배신한 유다와 무에 다를 게 있겠는가.

가톨릭에 귀의하고 25년 동안 줄곧 마음속에 품어왔던 겨자씨의 비밀이 내 마음속에서 밝혀진 것은 극히 최근의 일이다. 겨자씨의 비밀이야말로 '싹이 트고 자라나면 어느 푸성귀보다 커져서 공중의 새들도 날아와 그 가지에 깃들일 만큼 큰 나무'(마태 13,32 참조)로 자라는 하늘나라의 문을 여는 열쇠임을 깨닫게 된 것이다.

겨자씨의 비밀을 발견한 것은 최근에 우연히 『성녀 소화 데레사 자서전』을 다시 읽은 후였다. 영혼의 양식이 될 수 있는 책은 읽을 때마다 감동을 불러일으키는지 지금껏 수차례 읽었음에도 새로운 깊은 울림이 있었다.

소화 데레사 성녀는 널리 알려진 대로 15세에 가르멜수도회에 들어가 24세에 선종함으로써 10년도 못 되는 짧은 수도원 생활을 한 새내기 성녀다. 수많은 성인들이 대부분 그러하였듯이 위대한 업적을 남기거나 새로운 수도회를 창립하거나 순교를 하거나 성덕을 이루기 위해서 초인적인 신앙을 증거한 것이 아니라, 봉쇄수도원에서 기도를 하고, 마룻바닥을 닦고, 청소하고, 빨래하는 것과 같은 평범한 일상생활에 전념했던 수도자였다.

어려서부터 성녀가 되기를 꿈꾸었던 데레사는 '구름을 찌르는 높은 산'과 같은 성인들에 비하면 사람들의 발아래 짓밟히는 '작은 모래알'과 같은 자신의 무능에 대해 절망했다. 그러나 데레사는 '하느님께서는 이루지 못할 원을 내게 일으키게 하진 못하실 것이다.'라고 마음을 굳게 먹고 그 길을 가리켜 달라고 기도하고 성서를 찾아보았을 때 이 구절이 눈에 띄었다고 기록하고 있다.

"성서에는 '어리석은 이는 누구나 이리로 들어와라!'(잠언 9,4)고 하시는 '영원한 지혜'의 입에서 나온 말씀이 있었습니다."

성녀는 '십자가의 성 요한'의 '순수한 사랑에서 나오는 아주 작은 행동이 하느님의 눈에 가장 가치 있는 일이며, 다른 사업을 모두 한데 모은 것보다도 교회에 유익하다'(「영혼의 노래」)는 말에 용기를 얻고 주님께서 원하시는 '작은 일'이야말로 자신이 해야 할 일임을 깨달았던 것이다.

내가 무슨 일을 하든지 아주 소소하고, 그러니까 마룻바닥에 떨어져 있는 바늘 하나를 주울 때에도 주님에 대한 사랑으로 주우면 그것으로도 충분히 영혼 하나를 구원할 수 있다고 생각했으며, 당신의 사랑을 증거하는 데 조그만 희생 하나, 눈길 한 가닥, 말 한 마디도 놓치지 않고 아주 작은 것도 이용하고 그것을 사랑으로 가득 채우는 것이 '성인의 길임을 깨달았던 것입니다.

바로 이것이 성녀 소화 데레사가 발견한 '겨자씨'의 비밀이었다.

우리들의 믿음은 베드로의 '무슨 소리를 하는지 자기도 모르고 한 말'(루카 9.33 참조)처럼 '스스로 나팔 부는 위선'(마태 6.2 참조)이거나 '되풀이되는 빈말'(마태 6.7 참조)일 때가 많다. 이런 애매한 믿음이야말로 주님께서 꾸짖는 '약한 믿음'인 것이다. 주님께서 진정으로 원하신 것은 46년이나 걸린 솔로몬의 거대한 성전이 아니라, '아버지의 집(성전)을 아끼는 사랑의 열정'(요한 2.17 참조)이다. 주님은 심지어 돈과 권력과 궤변으로 얼룩진 성전을 "허물어라. 내가 다시 세우겠다."라고 질타하지 않으셨던가.

주님을 향한 사랑의 열정은 우리들의 수도원인 가정 속에서부터 타올라야 한다. 우리들의 가정은 평화로운 곳이 아니라 평화를 이루기 위해 겨자씨와 같은 작은 희생과 헌신과 양보와 인내들이 불꽃처럼 부딪치는 올코트 프레싱의 격전장이다. 소화 데레사 성녀는 이 '작은 길'을 끝까지 달려가 작은 모래알이 되어 자신이 원했던 대로 '목숨이 다하는 날 빈손으로 주님께 나아감'으로써 우리들에게 '장미의 꽃비'를 뿌리는 가톨릭 역사상 가장 아름다운 수호성인이 되었다.

소화 데레사는 말했다.

"하느님께 가까이 가는 길은 이층에 간 어머니를 찾아 우는 아기처럼 하면 된다."

우는 아기 데레사가 성녀가 되었다면 감히 우리도 성덕을 향한 소망을 가질 수 있다. 빨래를 하고, 청소를 하고, 음식을 만들 때도 데레사처럼 사랑으로 하고, 자식들을 아기 예수처럼 대하고, 아내를 성모님처럼 공경하고, 남편을 주님을 대하듯 사랑으로 가득 채울 수 있다면, 우리의 가정은 성가정이 될 수 있을 것이다.

만 권을 읽은 책의 내용이 겨자씨와 같은 이발(李勃)의 머릿속에 깃들 수 있듯이 이러한 겨자씨의 믿음이야말로 수미산을 움직이고, 새들이 날아와 둥지를 틀 수 있는 거대한 숲을 이루는 하늘나라의 열쇠일 것이다.

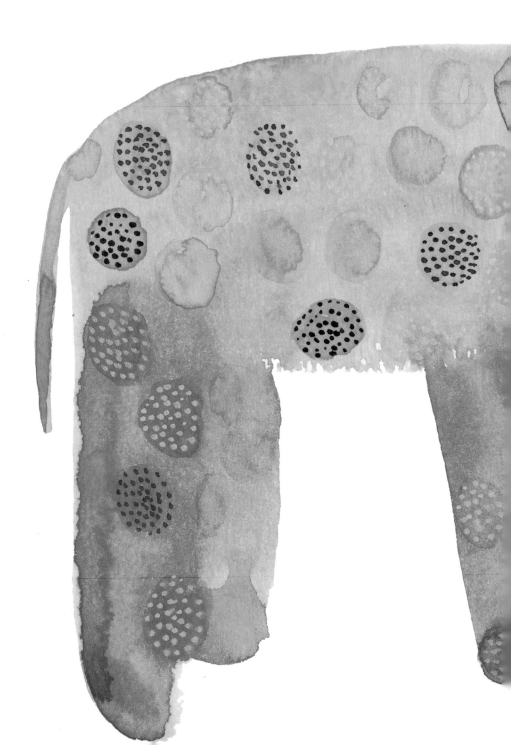

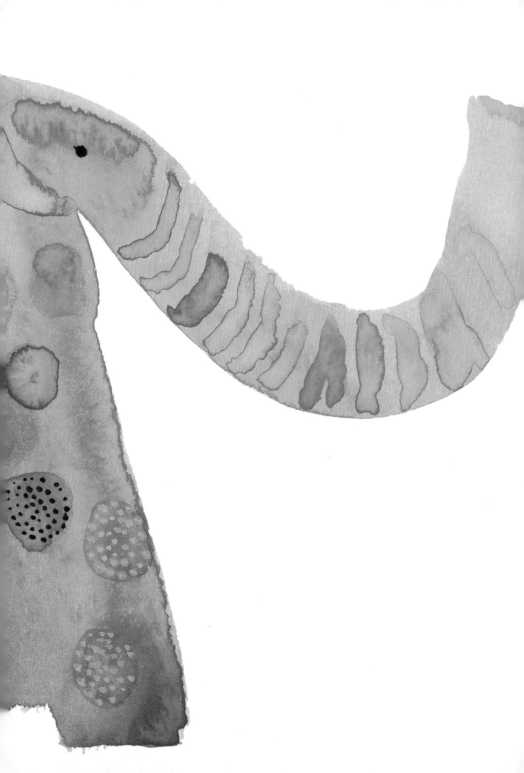

잠들기 전에 가야 할 먼 길

3년 전 한창 고통스러웠을 때 나는 성모병원 휴게실에 비치되어 있는 성경책을 꺼내 들고 위로가 될 수 있는 한 구절을 발견하게 해 달라고 간구했다. 그리고 성경책을 펼쳤는데 눈에 들어온 구절은 다음과 같았다.

"보라, 내가 세상 끝 날까지 언제나 너희와 함께 있겠다."(마태 28,20)

이 말씀은 주님께서 승천하기 직전에 지상에 있는 우리들에게 남긴 '그리스도 최후의 유언(遺言)'이다. 이 구절을 발견했을 때 나는 주님의 육성을 들은 듯하여 순간 시금치를 먹은 뽀빠이처럼 힘이 솟구쳤다.

주님께서 마지막 유언으로 나와 함께 계시겠다고 분명히 약속하셨다. 주님께서는 나에게 그 약속을 강조하기 위해서 "보라!"라는 감탄사까지 사용하셨다.

보라! 보아라! 인호야, 절대로 무서워하지 마라. 내가, 이 예수가 너와 함께 있겠다고 맹세하지 않느냐. 두고 보아라. 내 말은 틀림이 없다. '천지가 없어지는 일이 있더라도 내 말은 일 점 일획도 없어지지 않고 다 이루어질 것이다.'(마태 5.18 참조)

오래전에 이런 우화를 읽었던 기억이 떠오른다. 한 사람이 이 세상을 떠나 주님을 만났다. 주님과 함께 인생을 되돌아보면서 자신의 발자국 옆에 나란히 걸어간 발자국을 발견한 그 사람이 주님께 물었다.

"저 발자국은 누구의 발자국인가요?"

"내 발자국이란다."

그 사람은 어느 순간에는 주님의 발자국이 사라졌음을 확인할 수 있었다. 헤아려보니 인생에서 가장 불행하고 고통스러웠던 때였다. 그가 투덜거렸다.

"어째서 주님은 제가 불행할 때는 도망치셨습니까?"

그러자 주님은 웃으며 대답하셨다.

"도망친 것이 아니라 내가 너를 업고 걸었단다. 그래서 발자국이 하나뿐이란다."

그렇다면 지금 이 순간 주님께서 나와 함께 나란히 걷고 계신 것일까? 이 인생의 순례길에서 주님은 내 옆에서 동반자가 되어 우화의 내용처럼 때로는 함께 걷고, 때로는 업으며 동행하고 계신 것일까? 부활하신 후 엠마오로 가는 두 제자 옆에 '다가서서 나란히 걸어가셨던'(루카 24.13 참조) 주님처럼…….

'엠마오로 가는 길'에서의 풍경은 너무나 생생해서 영화의 한 장면처럼 선명하다. 내가 가슴 아픈 것은, 자신이 누군지 알아보지 못하는 두 제자들에게 일일이 성서를 설명해주시고 뜨겁게 감동을 주셨으면서도 '그들이 찾아가던 마을에 가까이 이르렀을 때, 예수님께서는 더 멀리 가려고 하시는 듯'(루카 24,28) 보였다는 구절이다.

　주님은 도대체 어디로 더 멀리 가시려고 했던 것일까? 그 늦은 시각에, 저녁밥도 못 드시고, 노숙자처럼……. 만약 제자들이 "날도 저물어 저녁이 다 되었으니 우리와 함께 묵으십시오." 하고 주님을 붙들지 않았다면, 온종일 함께 걷던 그 사람이 주님인지 전혀 몰랐던 두 제자가 마침내 눈이 열려 부활하신 주님을 알아볼 수 있었을까? 그리고 부활하신 주님을 본 순간 엠마오고 빵이고 밤길이고 다 때려치우고 뜨거운 감동을 안고 단숨에 예루살렘으로 되돌아간 그 기쁨을 누릴 수 있었을까?

미국의 시인 로버트 프로스트는 「눈 오는 날 숲가에 서서」란 절창의 시를 노래했다.

이 숲의 주인을 나는 알 것 같다
그러나 그 집은 마을에 있어
내가 멈춰 서서 자기 숲에
쌓이는 눈을 바라봄을 그는 모르리라
(…)
숲은 아름답고 어둡고 깊다
그러나 나에게는 지켜야 할 약속이 있고
잠들기 전에 가야 할 먼 길이 있다
잠들기 전에 가야 할 먼 길이 있다.

그렇다. 주님께서 잠들기 전에 서둘러 가야 할 먼 길을 떠나려 하는 것은 세상 끝 날까지 함께 있겠다는 약속을 지키기 위해 아직 '눈이 가려져서 그분이 누구신지 알아보지 못하는'(루카 24,16 참조) 눈 뜬 장님인 나를 찾아오고 계시기 때문일 것이다.

주님께서 '잠들기 전에 가야 할 먼 길'을 서두르신 것은 '엠마오로 가는 길에서처럼 부활하신 이후뿐이 아니다. 지상에 계시는 동안에도 주님의 일생은 잠시도 쉴 틈이 없는 고난의 역사였다. "고생하며 무거운 짐을 진 너희는 모두 나에게 오너라. 내가 너희에게 안식을 주겠다."(마태 11,28)라고 말씀하셨지만, 정작 자신은 우리들의 허덕이는 고생과 무거운 짐을 '멍에'처럼 대신 지고 십자가에 못 박혀 돌아가셨다.

예수님은 태어났을 때부터 여인숙의 마구간에서 '포대기에 싸여 말구유'(루카 2,7 참조)에 눕혀졌으며, 곧바로 이집트로 피난 가서 난민생활을 했다. 고향 사람들로부터는 "저 사람은 가난하고 평범한 목수의 아들이 아닌가."(마태 13,55 참조)라고 '지혜와 능력'을 의심받고 하찮은 목수 취급을 당했다. 공생활을 시작한 이후에도 찾아오는 사람이 너무 많아 음식을 먹을 겨를조차 없어 주님은 제자들에게 "따로 한적한 곳으로 가서 함께 쉬자."(마르 6,33 참조)라고 말할 정도였으며, 제자들이 마귀에 홀린 아이를 고쳐달라고 간청하자 "내가 언제까지 너희와 함께 있어야 하느냐? 내가 언제까지 너희를 참아주어야 한다는 말이냐?"(마태 17,17)고 꾸짖을 정도로 과로의 연속이셨다.

오죽하면 "여우들도 굴이 있고 하늘의 새들도 보금자리가 있지만, 사람의 아들은 머리를 기댈 곳조차 없다."(루카 9,58)고 한탄하셨을까.

그런데 아이러니컬하게도 성경에는 주님이 머리를 두고 주무시는 장면이 한 군데 나오고 있다. 그곳은 방도 아니고, 침대도 아니며, 한적한 들판도 아니다. 조각배 안이다.

배 안이라 해서 안락한 선실도 아니고 '고물에서 베개를 베고 주무시고'(마르 4,38) 계셨다. 그것도 '거센 바람이 일어 물결이 안으로 들이쳐서 물이 거의 가득 차게 된 배' 안에서 깊은 잠을 주무셨다. 공포에 질린 제자들은 "스승님, 저희가 죽게 되었는데도 걱정되지 않으십니까?"(마르 4,38)라고 성화를 부리며 주님을 깨운다. 주님께서 일어나 바람을 꾸짖고 바다를 향해 "고요하고 잠잠해져라." 하고 호령하시자 바람은 그치고 바다는 잠잠해진다. 그러고 나서 주님은 제자들에게 "왜 그렇게들 겁이 많으냐? 아직도 믿음이 없느냐?" 하고 책망하신다.

이제야 나는 알게 되었다.

최후의 유언으로 "보라, 내가 세상 끝 날까지 언제나 너희와 함께 있겠다."는 말씀을 남긴 주님께서 나와 함께 계신 곳은 바로 '내 마음(心)' 속임을……

주님은 내게 말씀하신다.

"호수 저쪽으로 건너가자."(마르 4,35)

호수 저편은 이승의 번뇌를 해탈한 유토피아, 즉 피안(彼岸)의 세계.

나는 주님을 내 배에 태워 모시고 호수 건너편으로 노를 저어 간다. 어떤 때는 바람에 돛이 부러지고, 어떤 때는 거센 파도가 배 안까지 들이친다. 그러나 주님은 내 마음의 뱃고물에 머리를 기대고 편히 주무시고 계신다.

하늘과 땅의 주인이신 그리스도가 주무시는데 제까짓 바람과 바다가 어찌 배를 집어삼킬 수 있겠냐마는 나는 그만 거센 바람을 보자 무서운 생각이 들어, "주님 살려주십시오."(마르 4,37-38 참조) 하고 비명을 지르며 성화를 부린다.

거센 바람에 대한 무서움과 죽게 되었다는 맹목의 두려움은 주님에 대한 믿음을 여지없이 무너뜨리는 교활한 악의 유혹이다. 그러므로 주님께서 "고요하고 잠잠해져라." 하고 명령하신 것은 바람과 바다를 꾸짖으신 것이 아니라 사소한 의심과 두려움으로 흔들리고 있는 내 믿음에 대한 책망인 것이다.

지금 이 순간도 주님은 내 마음의 배 안에서 주무시고 계신다.

아아, 내가 무슨 일이 있어도 주님을 깨우지 않고 "멍멍개야, 짖지 마라. 쉬잇! 꼬꼬닭아, 울지 마라. 쉿! 달빛이 영창으로 은구슬 금구슬을 보내주는 이 밤, 잘 주무세요. 우리 주님." 하고 자장가를 부를 수 있도록 나의 주님, 나의 하느님!(요한 20.29) 저에게 굳은 믿음을 허락하소서. 아멘.

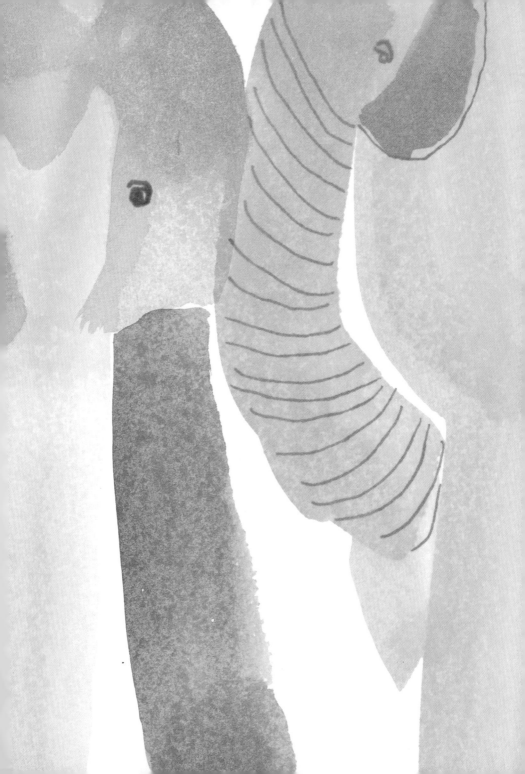

값없는 두메꽃처럼 살고 싶어라

최민순 신부님이 지은 「두메꽃」이란 시를 처음으로 본 것은 1994년 1월이었다. 이한택 주교님의 지도 아래 한 달간 성 이냐시오의 영성 수련 프로그램에 참여하여 예수회 신학생들과 피정을 하고 있을 때였다. 그때 나는 기숙사 로비 벽면에 걸려 있는 「두메꽃」이란 시를 보고 크게 감명을 받았다.

「두메꽃」을 또다시 만나게 된 것은 배론 성지에 있는 피정의 집에 머무르고 있을 때 꽃밭 위 석비에 새겨진 시의 전문을 발견하게 되면서였다.

외딸고 높은 산 골짜구니에 살고 싶어라
한 송이 꽃으로 살고 싶어라
벌 나비 그림자 비치지 않는 첩첩산중에
값없는 꽃으로 살고 싶어라
햇님만 내님만 보신다면야 평생 이대로
숨어 숨어서 피고 싶어라.

이따금 배론 성지의 피정의 집 '두메꽃'에 갈 때마다 나는 신부님의 시를 하루에도 몇 번씩 읊고 외우면서 뜻을 가슴깊이 새기곤 한다.

지금껏 내가 살아온 인생은 '두메꽃'과는 정반대의 삶이었다. 내가 사는 곳은 외딸고 높은 산 골짜구니가 아닌 수많은 사람들로 들끓는 도시의 광장이었다. 나는 어떻게든 벌에게 인정받고 나비에게 돋보이려고 기를 쓰고 있었고, 수많은 사람들의 시선과 관심이 집중되는 스포트라이트가 조금이라도 빗겨 가면 악착같이 그 화제의 중심에 다시 서려 하였으며, 매스컴에 이름이 끊임없이 호출되어야만 출석부를 체크한 학생처럼 마음이 놓였고, 항상 나에 대한 평가에 귀를 기울이고, 온갖 찬탄과 박수 소리, 선망의 시선에서 멀어진다 싶으면 불안하고 소외감을 느꼈던 전형적인 속물적인 삶의 연속이었다. 어느 정도 세속적인 성공을 거둬서 한때 〈성공시대〉란 프로그램의 출연 요청을 받기도 했으며, 지금은 암과의 투병이 뉴스로서의 가치를 더 상승시켰는지 특집 프로그램 같은 데서 집요한 요청을 받고 있다.

주님께서 40일간 단식하셨을 때 악마가 높은 곳으로 데리고 가서 잠깐 사이에 세상의 모든 왕국을 보여주며 "모든 권세와 영광을 당신에게 주겠소."(루카 4,6)라고 유혹한다. 악마는 '저 화려한 권력과 명예는 자기가 받은 것'이라고 단언하고 "만일 내 앞에 엎드려 절만 하면 모두가 당신의 것이 될 수 있을 것이오." 라고 약속한다. 그렇게 보면 내가 얻은 세속의 명예와 화려한 영광은 악마에게 끊임없이 무릎을 꿇고 '엎드려 절'을 했던 우상숭배의 결과일지도 모른다.

사람들은 누구나 부유함과 세속적인 권력과 육체적인 욕망을 추구하고 있다. 몸짱에 대한 열망, 병적인 성형 중독, 외모 지상주의, 출세, 타인을 지배하는 힘, 명품, 쾌락, 낙태, 지나친 건강 추구, 웰빙, 독점적 권력, 식탐, 극단적 이기주의, 중독(거짓말, 섹스, 약물, 알코올), 악의, 탐욕과 교만, 좋은 차, 좋은 집, 좋은 옷, 미신……. 이 모든 것은 물신(物神)의 소유인 것이다. 주님께서는 "아무도 두 주인을 섬길 수 없다. 한쪽은 미워하고 다른 쪽은 사랑하며, 한쪽은 떠받들고 다른 쪽은 업신여기게 된다. 너희는 하느님과 재물을 함께 섬길 수 없다."(마태 6,24)라고 분명히 말씀하셨다. 내가 진실로 하느님을 섬기는 가톨릭 신자라면 재물을 버리고 두메꽃처럼 '값없는 꽃'으로 살아가야 할 것이다. 햇님(하느님)만 보신다면야 숨어서 핀다 한들 '온갖 영화를 누린 솔로몬'보다 더 화려하고 아름답지 않겠는가.

주님의 가치관은 지상의 것과는 정반대다. 주님은 "가난한 사람은 행복하고 배불리 먹고 지내는 사람보다 굶주린 사람이 더 행복하고 모든 사람들에게 칭찬을 받는 사람보다 미움받고 쫓기고 박해받는 사람이 하늘나라에서 받을 상이 크다."(루카 6,20. 6,26 참조)라고 말씀하심으로써 '값없는 꽃'의 절대 가치를 선언하고 계신다.

아아, 제 인생이 얼마 남았는지 알 수는 없지만 이제라도 '외
딸고 높은 산 골짜구니'에서 '두메꽃'으로 피어날 수 있도록 저
로 하여금 끊임없이 '유혹하는 자'에게 "사탄아 물러가라. '성서
에 주님이신 너희 하느님을 경배하고 그분만을 섬겨라.'라고 하
시지 않았느냐."_(마태 4,10 참조)라고 외칠 수 있도록 주여! 저에게
'빛의 갑옷'_(로마서 13,12)을 입혀주소서.

'예'와 '아니요'

1858년 2월 11일, 프랑스 루르드의 강변 동굴에 땔감을 주우러 온 열네 살의 베르나데트 앞에 '이 세상 어떤 여인과도 비교할 수 없이 아름다운 여인'이 나타나 함께 묵주기도를 올렸다. 여덟 번째로 발현했을 때 소녀가 이름을 묻자 여인은 "나는 무염시태(無染始胎, 원죄 없이 잉태됨)이다."라고 대답하심으로써 자신이 성모님임을 밝혔다. 이 사건은 오랫동안 가톨릭 교리에 있어 논쟁거리였던, 성모님만은 원죄로부터 더럽혀지지 않은 본성으로 '형언할 수 없는 하느님'을 통해 잉태되었음을 정의(定義)하게 되었던 것이다.

아홉 번째 발현일인 2월 25일에는 자신이 가리킨 곳을 파서 그 샘에서 나오는 물을 마시고 씻도록 하셨는데, 베르나데트는 정신없이 샘을 파면서 "이 세상에서 가장 슬픈 것이 죄(罪)라는 사실을 깨달았다."고 고백했다.

하느님이 직접 창조하신 '인류의 어머니 하와'(창세 3.20)는 뱀의 유혹에 넘어가 원죄를 지음으로써 '한 사람이 죄를 지어 이 세상에 죄가 들어왔고 죄는 또한 죽음을 불러들였지만'(로마서 5.12 참조) 성모님은 원죄 없이 태어나 그리스도를 낳으심으로써 '모든 사람을 하느님과 올바른 관계에 있게 하고 영원한 생명에 이르게'(로마서 5.21 참조) 하셨다.

태어난 모든 사람들은 원죄 중에 태어났으며 '내 속에 도사리고 있는 죄'로 인해 '죄의 노예'이고, 베르나데트가 샘을 파면서 깨달았던 비참하고 '슬픈 죄인'인 것이다.

인류의 어머니인 하와는 뱀(악마)의 유혹에 넘어가서 하느님으로부터 금지된 열매를 따 먹었다. 하와가 원죄를 짓는 과정을 창세기는 이렇게 묘사하고 있다.

①여자가 그 나무를 쳐다보니 ②과연 먹음직하고 ③보기에 탐스러울뿐더러 ④사람을 영리하게 해줄 것 같아서 ⑤그 열매를 따 먹고 ⑥같이 사는 남편에게도 따 주었다.

인간이 저지르는 모든 죄는 반드시 이 단계를 거치게 되어 있다. 우선 유혹에 넘어가 그 죄를 응시하는 첫 발견 단계에서부터 출발한다. 그러고 나서 생각한다. 먹음직스럽다. 화려하다. 향기롭다. 감미롭다. 죄는 본능적인 감각과 호기심을 자극한다.

그 후에는 맹렬한 상상이 일어나고 쾌락에 대한 기대감이 용솟음친다. 이 과정을 『준주성범』은 '처음에는 마음에 단순한 생각만 하고, 그 다음에는 상상이 일어나고, 쾌락이 생기고, 잇따라 악한 충동(衝動)이 발하고, 마침내는 승낙을 하게 된다.'라고 표현하고 있다. 마지막으로 하와가 느낀 '사람을 영리하게 해줄 것 같다'는 느낌은 악의 논리다. 결정적인 악의 정당화가 생기기 전까지는 그나마 유혹과 맞서 싸우려는 의지가 있지만, '딱 이번 한 번뿐인데', '인생은 원래 즐기는 거야', '사랑은 불나비야'라는 식의 악의 논리는 여지없이 충동적인 만용을 불러일으켜 마침내 열매를 따 먹고 남편에게도 따 줌으로써 악은 습관화(중독)되고 전염되어 온 세상에 만연하게 되는 것이다.

그러므로 주님은 '여자를 보고 음란한 생각을 품는 것 자체가 그 여인을 범한 것'(마태 5,28 참조)과 같으니 "오른 눈이 죄를 짓게 하거든 그 눈을 빼어 던져 버려라."라고 말씀하심으로 죄의 독화살이 초기 단계인 '음란한 생각'에 머물러 있을 때 단호히 빼어 버리라고 말씀하신다.

우리가 사는 '이 시대는 악하다.'(에페 5,16 참조) 주님의 말씀대로 '악하고 절개 없는 세대'(마태 16,4)다. 이 악하고 절개 없는 시대에 주님은 "너희는 말할 때에 '예.' 할 것은 '예.' 하고, '아니요.' 할 것은 '아니요.'라고만 하여라. 그 이상의 것은 악에서 나오는 것이다."(마태 5,37)라고 경책하고 계신다. 악의 논리는 교묘하다. "예." 할 수도 있고 "아니요." 할 수도 있다고 우리를 혼란시키며 '예'도 아니고 '아니요'도 아닌 애매한 제3의 무엇이라고 설득을 한다. 제3의 선택은 그 자체가 악이다.

하느님으로부터 원죄 없이 잉태되신 단 하나의 성모 마리아
님,

제 마음의 동굴에도 샘물 하나를 마련해주시어 이 불쌍한 죄
인의 허물을 씻어주시고,

'끊임없이 제 발꿈치를 물려 하는 간교한 뱀의 머리를 짓밟아'

(창세기 3,15 참조)

저를 죄에서 해방시켜 주소서.

예수, 마리아밖에 모르는
성 김아가다

1836년 10월, 김아기(金阿只, 아가다)는 천주교 서적을 숨긴 죄로 체포되었다. 미신을 믿는 남편에게 출가하였던 김아기는 신자이던 언니의 "그 귀신들은 모두 헛된 것이니 믿지 말라."는 말에 남편의 만류에도 불구하고 꾸며놓았던 우상과 그림을 불태워버렸다. 이처럼 열성이 지극한 김아기를 영세시키려고 그녀의 언니는 애를 썼으나 어찌나 머리가 둔한지 몇 해를 가도 '예수, 마리아' 두 마디밖에 외우지 못했다.

결국 체포되어 심문을 받을 때도 "나 같은 여편네는 예수, 마리아밖에 모릅니다."라고 대답하여, 김아기가 문초를 받다가 감옥에 돌아오면 갇혀 있던 교우들은 웃으면서 "예수, 마리아밖에 모르는 김아기가 들어온다." 하고 맞아주었다 한다.

마침내 3년 옥살이 끝에 옥중에서 '아가다'라는 이름으로 대세를 받고 1839년 5월 24일, 서소문 앞 네거리에서 참수형을 받아 순교했다.

이로써 '예수, 마리아밖에 모르는 김아가다'는 우리나라가 낳은 103위 성인 중의 한 사람이 되었다. 이처럼 '하늘과 땅의 주인이신 하느님'은 안다는 사람들과 똑똑하다는 사람들에게는 하늘의 진리를 감추시고 오히려 철부지 어린아이 같은 사람, 김아기에게는 나타내 보이신다. (마태 11,25 참조)

목수였던 예수께서는 가난한 어부나 세리, 창녀와 같은 죄인을 불러 제자로 삼으셨다. 주님의 말씀과 행적을 기록한 마태오, 마르코, 루카, 요한 같은 복음사가들 역시 소위 지식 있는 사람도, 똑똑한 사람도 아닌 보통 사람들이었다. 최초의 복음서를 쓴 마르코는 사도 바울을 따라 전도여행에 따라나섰던 사람으로 베드로가 '나의 아들 마르코'(1베드 5,13)라고 할 정도로 신임을 얻었다. 마르코는 베드로의 기억을 바탕으로 복음을 썼는데, '어떤 젊은이가 알몸에 아마포만 두른 채 그분을 따라갔다. 사람들이 그를 붙잡자, 그는 아마포를 버리고 알몸으로 달아났다.'(마르 14,51-52)는 구절은 마르코 자신을 가리키는 것으로 예수께서 체포되던 날에 "나는 현장에 있었으므로 내 이야기를 믿어 달라."는 무언의 암시임을 추측할 수 있다. 마태오는 세리였으며, 루카는 바울이 그를 '사랑하는 의사 루카'(콜로 4,14)라고 부른 것으로 보아 의사라는 말도 있고, 성모님의 초상화를 그린 화가였다고도 한다.

4대 복음서 중의 하나인 『루카복음』과 『사도행전』은 루카가 '존경하는 테오필로스'라는 사람에게 '이미 듣고 배우신 것들이 틀림없는 사실이라는 것을 알아주기를 바라는'(루카 1,4 참조) 간절한 소망으로 쓴 기록이다. 그들은 이처럼 복음서를 거룩한 소명에 의해서 쓴 것이 아니라, 자신들이 보고 들은 놀라운 일들이 모두 '틀림없는 사실'이며, '책을 쓴 목적은 다만 사람들이 예수는 그리스도이시며 하느님의 아들이심을 믿고 또 그렇게 믿어서 주님의 이름으로 생명을 얻게 하려는 것'(요한 20,31 참조) 때문이다.

이는 우리들도 마찬가지다. 우리들은 모두 전능하신 하느님을 믿고, 그 외아들인 예수께서 십자가에 못 박혀 돌아가셨다 부활하셨음을 믿으며, 영원한 생명을 믿는 가톨릭 신자들이다. 따라서 우리들도 곁에 있는 '테오필로스'에게 이미 듣고 배운 것들이 틀림없는 사실이라는 것을 증언하기 위해서 나름대로의 복음을 써야 할 것이다.

주님께서는 승천하실 때 "땅 끝에 이르기까지 나의 증인이 될 것이다."(사도행전 1,8 참조)라고 하셨고, 예루살렘에 입성하실 때 사람들이 환호하자 이를 지적하는 율법학자들에게 "내가 너희에게 말한다. 이들이 잠자코 있으면 돌들이 소리 지를 것이다."(루카 19,40)라고 말씀하셨다.

그렇다. 우리들이 입을 다문다면 돌들이 소리 질러 주님을 증언할 것이다.

성 김아가다는 오십 평생 단 두 마디의 복음서를 썼다. 김아가다복음서의 제1장은 '예수'이며, 제2장은 '마리아'다.

주님, 저에게도 제가 받은 이 놀라운 은총과 생명의 신비가 땅끝까지 퍼져나가고 아직도 멸시받고 능욕당하는 가엾은 우리 주 예수 그리스도를 위해 지붕 위로 올라갈 수 있는 사다리를 주소서. 사다리를 타고 지붕 위로 올라가 성 김아가다처럼 '예수'와 '마리아'를 선포케 하시고 '제 귓가에 속삭이는 주님의 말씀을 지붕 위에서 목이 터져라 외칠 수 있도록'^(마태 10,27 참조) 지혜와 용기를 주소서.

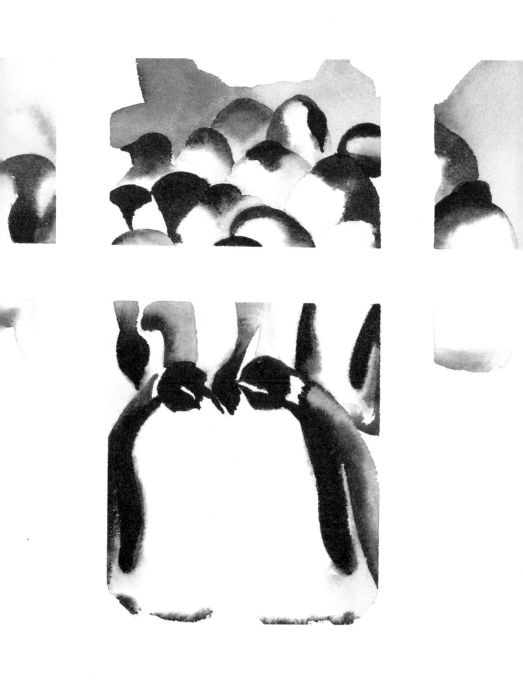

몸을 돌려 똑바로 바라보는
주님의 눈

아버지와 아들이 목욕탕에 갔다. 아버지는 뜨거운 물속에 들어오기 싫어하는 아들에게 말했다.

"아이구, 시원해. 너두 들어와라."

아버지에게 속은 아들은 냉큼 물속으로 뛰어들었다 튀어나오면서 말했다.

"우와, 세상에 믿을 X 하나 없구나."

미국의 CIA는 거짓말을 백색, 회색 그리고 흑색으로 분류하고 있다. 남을 속이고 있다는 사실을 알고서 행하는 흑색 거짓말과 완전한 거짓은 아닌, 상대방을 위한 선의라는 이름으로 행하는 백색 거짓말, 그리고 그 경계가 애매한 회색 거짓말이 있는데, 아들을 속인 아버지의 거짓말은 백색 거짓말 중의 하나다.

아버지는 아들의 두려움을 없애주기 위해서 선의의 거짓말을 했으므로 스스로 죄의식이 없다고 생각할지도 모르지만, 아들에게 이 세상에는 믿을 사람 하나 없다는 불신을 초래하고 말았다. 그 빛깔이야 어떻든 거짓말이 악의 독소임을 주님은 분명히 밝히고 계신다.

"그(악마)가 거짓말을 할 때에는 본성을 그렇게 말하는 것이다. 그는 거짓말쟁이이며 거짓의 아비이기 때문이다."(요한 8,44)

이러한 치명적인 거짓말을 베드로가 세 번이나 저지르는 장면이 성경에 나오고 있다. 베드로는 주님께서 처음 보셨을 때부터 '바위'라고 부를 만큼 신임을 받은 으뜸 제자였다. 동생 안드레아가 하룻밤 먼저 예수를 만나 함께 지낸 후 형을 데려간다. 이때 예수께서는 시몬(베드로)을 눈여겨보시며 "앞으로 너는 게파(베드로)라고 불릴 것이다."(요한 1,42)라고 예언하신다. 베드로를 '눈여겨본 첫 순간'에 '그를 통해 교회를 세울 것이며, 죽음의 힘도 감히 그것을 누르지 못할 것이며, 하늘나라의 열쇠를 주겠다.'(마태 16,18 참조)고 미래를 꿰뚫어 보신 것이다. 그러나 "스승님과 함께 죽는 한이 있더라도, 저는 스승님을 모른다고 하지 않겠습니다."(마태 26,35)라고 장담했던 베드로가 주님을 모른다고 세 번씩이나 거짓말을 한다.

예수께서 붙잡히신 후 대사제 앞에 끌려가 조롱당하는 모습을 바깥뜰에서 불을 쬐며 보고 있던 베드로에게 여종 하나가 "예수와 함께 다니던 사람이군요?"하고 묻는다. 그러자 베드로는 "나는 당신이 무슨 말을 하는지 모르겠소."라고 첫 번째 거짓말을 한다. 베드로는 두렵고 이 돌연한 상황을 도저히 이해할 수가 없었을 것이다. 당황한 베드로가 일어나 대문께로 나가자 다른 여종이 "이이는 나자렛 사람 예수와 함께 있었어요."^{(마}태 26,71)라고 거듭 말한다. 베드로는 맹세까지 하면서 "나는 그 사람을 알지 못하오."라고 두 번째 거짓말을 한다.

이처럼 거짓말은 거짓말을 낳는다. 조금 뒤에 다른 사람이 "틀림없이 예수와 한패"라고 말하자 베드로는 거짓말이라면 천벌이라도 받겠다고 맹세하면서(마르 14,71) 잡아뗀다. 이것이 악마가 노리는 거짓말의 비수다. 실제로 세 번째 거짓말을 할 때 베드로는 예수를 정말 모르는 사람으로 변했기 때문이다. 자기의 스승이 저처럼 뺨을 맞고 조롱을 당하는 그런 하찮은 존재임을 인정할 수 없었던 것이다. 순간, 베드로는 스승을 믿었던 자신에 대해 화가 났으며 그래서 천벌이라도 받겠다고 맹세할 만큼 예수를 모르는 사람으로 돌변했다. 도스토예프스키가 "거짓말을 하는 사람은 누구나 쉽게 화를 내는 법이다."라고 말했듯, 베드로는 화가 났던 것이다.

그때 베드로는 '몸을 돌려 똑바로 바라보는 주님의 눈'(루카 22.61 참조)과 마주친다. 그제야 베드로는 "닭이 울기 전에 세 번이나 나를 모른다고 할 것이다."는 주님의 말씀이 떠올라 밖으로 나가 슬피 운다. 아아, 주님은 처음 본 순간부터 베드로를 '눈여겨보셨지만' 베드로가 주님의 눈을 본 것은 3년 후인 그때가 처음이었다.

주님, 닭이 울고 있습니다. 하오나 아직 저는 주님의 눈을 마주 보지 못하고 있습니다. 저를 똑바로 쳐다보시어 아직도 거짓말의 늪에서 벗어나지 못하고 있는 저를 베드로처럼 밖으로 나가 슬피 울어 '제 눈에서 비늘 같은 것이 떨어져'(사도 9,18) '몸의 등불인 성한 눈'(마태 26,22)으로 삼라만상을 온전히 볼 수 있게 하소서.

사람을 죽이는 칼, 살리는 칼

　　많은 지식인들은 서구의 열강들이 세계 곳곳에 식민지를 점령하던 시기에 먼저 총과 칼을 앞세운 군대로 정복을 한 후 성경을 든 선교사들이 뒤에 들어가 기독교로 현지인들을 세뇌시킴으로써 약탈의 식민정치를 합법화하였다는 논리를 앞세워 '기독교가 있는 곳에 전쟁이 있다.'고 지적하고 있다. 멀리로는 11세기 말에서 200여 년 동안 8차에 걸쳐 감행된 십자군전쟁으로부터 가까이로는 동양의 파리라고 불리던 베이루트를 초토화시킨 기독교인과 이슬람교도 사이의 내전, 그리고 여러 중동지역에서 벌어지는 종교분쟁들이 기독교적 오류의 지적을 뒷받침하고 있는 역사적 사건들이다.

이러한 전쟁과 분쟁을 합리화시키는 기독교적 논리는 아이러니컬하게도 '칼을 주러 왔다.'는 성경의 말씀에서 시작되었다.

"내가 세상에 평화를 주러 왔다고 생각하지 마라. 평화가 아니라 칼을 주러 왔다. 나는 아들이 아버지와 딸이 어머니와 며느리가 시어머니와 갈라서게 하려고 왔다. 집안 식구가 바로 원수가 된다."(마태 10,34-36)

『루카복음』의 말씀은 이 구절보다 훨씬 더 충격적이다.

"나는 세상에 불을 지르러 왔다. 그 불이 이미 타올랐으면 얼마나 좋으랴?"(루카 12,49)

열두 제자를 파견하면서 하신 주님의 이 말씀은 '평화'와 '사랑'을 강조한 평소의 말씀과는 정반대로 '전쟁(칼)'과 '분열'을 외치심으로써 큰 오해를 불러일으킨 가장 위험한(?) 성경 구절 중의 하나로 손꼽히고 있다.

그러나 베드로는 편지에서 '무엇보다 먼저 이것을 알아야 합니다. 성경의 어떠한 예언도 임의로 해석해서는 안 됩니다.'(2베드 1.20)라고, 성서의 말씀을 인간의 잣대로 해석해서는 안 된다는 사실을 준엄하게 경고하고 있다. 그 이유는 '예언(말씀)은 인간의 생각에서 나온 것이 아니라 사람들이 성령에 이끌려서 하느님께로부터 받아 전했기 때문'이라는 것이다.

예수께서 붙잡히기 직전 베드로가 칼을 빼어 종의 귀를 잘라버리자 "칼을 칼집에 도로 꽂아라. 칼을 잡는 자는 모두 칼로 망한다."(마태 26.52)고 하시며 귀를 다친 종을 고쳐주신 것을 보면 주님께서 하신 "칼을 주러 왔다."는 말씀은 감히 인간의 생각으로, 임의로, 한쪽에서 유리하게 일방적으로 해석하면 절대로 안 되는 경구임을 알 수가 있다.

불교에서도 이와 비슷한 사례가 있다.

부처께서 기원정사(祇園精舍)에 계실 때 아난다가 옷깃을 여미어 합장하고 계를 청하자 부처는 입을 열어 말씀하셨다.

"첫째, 산목숨을 죽이지 말라. 둘째, 음행하지 말라. 셋째, 훔치지 말라. 넷째, 거짓말하지 말라."

이것이 바로 불교의 가장 중요한 '네 가지 근본 계율'이다. 이 계율은 열 가지의 계(十重大戒), 마흔여덟 가지 계(四十八輕戒)로 발전돼나가지만 그 어떤 계율이든 첫 번째는 '불살생(不殺生)'의 계율이다. 그런데 불교의 1,700개 화두 중 '남전참묘(南泉斬猫)'란 공안에는 산목숨을 끊는 살생의 장면이 나오고 있다.

남전이 주석하고 있는 선당은 동서에 선방을 두어 동쪽의 선
방에 사는 수자를 동당(東堂), 서쪽의 수자를 서당(西堂)이라고 불
렀다.

어느 날 모든 납자들이 들에 나가 일을 하고 있는데 고양이 한
마리가 나타났다. 서로 자기네 고양이라고 주장하며 동당 고양
이, 서당 고양이 하고 싸움이 벌어졌다.

다툼이 시끄러워지자 스승 남전은 무슨 일인가 나와 지켜보
다가 싸움의 원인이 고양이 한 마리 때문임을 알고는 고양이의
목을 한손으로 쥐어들고 다른 한손으로는 칼을 들어 모가지에
들이대고는 말했다.

"너희들이 뭔가 한 마디 할 수 있다면 이 고양이를 죽이지 않
겠지만 말할 수 없다면 목을 베어 죽일 것이다."

서슬이 퍼런 스승의 선기에 압도되어버린 대중들은 입조차
달싹 못하고 침묵을 지키고 있을 뿐이었다. 남전은 그 자리에서
고양이의 목을 베어 죽였다.

그날 밤 외출에서 돌아온 제자 조주(趙州)가 스승에게 인사하러 왔을 때 남전은 낮에 있었던 일들을 이야기하고 "네가 그 자리에 있었으면 어떻게 했겠느냐?"하고 물었다. 그러자 조주는 말없이 자신이 신던 짚신 한 짝을 머리 위에 얹고 걸어 나갔다. 이에 스승 남전이 혀를 차며 말하였다.

　　"네가 그 자리에 있었더라면 고양이는 살 수 있었을 터인데."

　　그 이후부터 '불살생'의 계율을 파계하여 고양이의 목을 벤 남전의 칼은 애욕을 끊기 위한 '사람을 죽이는 칼(殺人刀)'이며, 그것이 분쟁의 원인인 고양이라 할지라도 하찮은 짚신조차 머리 위에 떠받드는 것처럼 섬기겠다는 조주의 칼은 '사람을 살리는 칼(活人刀)'로 불리게 되었다.

근세의 선승 혜월(<ruby>慧月<rt></rt></ruby>)은 1937년 죽기 전 선암사에 주석하고 있었는데, 그에게는 '사람을 죽일 수도, 살릴 수도 있는 천하의 명검'이 있다는 소문이 자자하였다. 이 말을 들은 헌병대장이 명검을 보고 싶은 욕망에 절을 찾아왔다. "그 칼을 보여주실 수 있겠습니까?"라는 간청에 "물론입니다." 하고 앞장서 걷던 혜월은 느닷없이 뺨을 후려쳐 헌병대장을 섬돌 아래로 떨어뜨렸다. 졸지에 수모를 당한 헌병대장이 허리에 찬 칼을 빼려 하자 혜월이 먼저 다가가 그를 부축하여 일으키면서 말했다.

"이것이 내가 갖고 있는 천하의 명검이오. 내가 때려 섬돌 아래로 떨어뜨린 손은 사람을 죽이는 칼이며, 부축하여 일으켜 세운 손은 사람을 살리는 칼입니다."

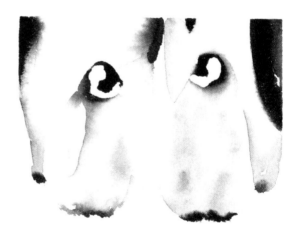

길고 긴 투병 생활이 시작되었을 때 나는 의사처럼 소중한 사람이 없다는 사실을 깨닫게 되었다. 성경에도 '남을 도와주는 의사를 존경하여라. 주님께서 그를 창조하셨다.'(집회서 38,1)라는 말이 나오고 있고, '그들 역시 주님께 기도하여 자신들에게 올바른 진단과 생명을 구하기 위한 치유의 은혜를 베풀어 주시도록 청한다.'(집회서 38,14)라며 의사들을 '주님께서 내린 사람'이라고 표현하고 있다.

2010년 3월, 내가 두 번째로 방사선치료를 하게 됐을 때 화학치료를 병행할 것인가에 대해서 어떤 의사와 상의한 적이 있었다. 그때 그 의사는 냉정하게 내게 말했다.

"올 가을까지만 사신다 생각하시고 마음의 준비를 하시지요."

이른바 시한부선고였다. 젊은 의사는 이성적이고 실질적이며, 과학적 의술에 의한 임상학적 판단으로 그렇게 말했을 것이다. 그러나 나는 오히려 그 의사가 측은하게 느껴졌다. 왜냐하면 그 의사는 나의 생에 대한 미련 같은 것을 끊어버림으로써 고양이의 목을 베었는지는 모르지만, '고양이로서의 환자인 나'는 살리지 못했기 때문이다.

그 의사는, 하느님을 믿든 안 믿든, 자신의 의술이 '왕(하느님)으로부터 받은 예물'(집회 38,2 참조)이며, 생명은 그가 다루는 지식이 아닌 하느님의 신비한 섭리임을 몰랐던 것이다. 하찮은 짚신까지도 머리 위에 섬기듯, 환자를 사랑하고 아끼며 생명을 다루는 의사들은 병든 부위를 도려내는 수술 칼로 사람을 살리는 칼을 쓰는 성직자다. 따라서 의사는 환자들을 희망과 용기로 부축하여 일으켜 세워야 한다.

이처럼 의사들만이 아닌 모든 사람이 다루는 정치, 경제, 권력, 법, 언론, 제도에는 사람을 죽이기도 하고 사람을 살리기도 하는 양면의 칼날이 들어 있다. 두 개의 칼은 따로 있는 것이 아니라 하나의 칼에서 비롯되는 것이며, 그 칼이 사람을 죽일 수도, 살릴 수도 있는 것은 그것을 사용하는 사람의 마음에 달려 있는 것이다.

주님, 제 혀와 손과 생각은 모두 양면의 날을 가진 불칼임을 제가 아나이다. 제 혀끝에서 비난과 독설, 거짓말과 고함 소리를 베어내주시고, 제 생각에서 교만과 독선, 자애심을 끊어주시고, 제 손에 쥔 붓에서 퇴폐와 부도덕과 파괴를 유혹하는 독소를 씻어내 주소서. 그리하여 제가 최후의 만찬을 시작하기 전 '대야에 물을 떠서 제자들의 발을 씻고 허리에 두르셨던 수건으로 닦아 주셨던'(요한13,5 참조) 주님을 본받아 사람을 섬기는, 사람을 살리는 평화의 칼이 될 수 있도록 은총 내려주소서.

알고 있는
모든 것으로부터의 자유

1917년 5월 13일, 포르투갈의 파티마에서 루치아와 사촌 히 야친타, 프란체스코가 양들에게 풀을 주기 위해 목초지로 가다 가 성모님을 만나게 된다. 이것이 20세기 초에 나타난 성모님의 발현으로 흔히 이를 '파티마의 성모'라고 부른다.

성모님은 어린 목동들에게 속죄와 회개, 로사리오 기도를 자 주 바칠 것과 성직자들을 위해 기도할 것을 당부하시고 '구원의 기도'를 직접 가르쳐주셨다.

그러나 루치아 수녀의 회고록을 보면, 가장 고통스러웠던 일은 뜻밖에도 가족들의 멸시와 박해였다. 루치아가 성모님을 만났다는 얘기를 하자 언니들은 그녀를 캄캄한 방에 가뒀으며, 심지어 엄마는 빗자루나 장작개비로 루치아를 때리면서 거짓말을 고백하라고 다그치기도 했다. 누구보다 성모님을 공경하는 일에 열심이었던 가족들이 실제로 자신의 딸 앞에 성모님이 발현했음에도 불구하고 합심해서 구박하는 '박해자'가 되고 만 것이다.

예수께서도 나사렛에서 가르침을 펴셨을 때 고향 사람들은 "그는 목수의 아들이요, 어머니와 형제들은 우리 동네 사람들이 아닌가."(마태 13,55 참조)라고 '지혜와 능력'을 의심하고 도무지 믿으려 하지 않았다. 그뿐 아니라 들고 일어나 '산벼랑까지 끌고 가서 밀어 떨어뜨려'(루카 4,29 참조) 죽이려고까지 박해했으며, 친척들은 '예수가 미쳤다는 소문을 듣고 붙들러 나서기도'(마르 3,22 참조) 했다. 주님께서 "예언자는 어디에서나 존경받지만 고향과 집안에서만은 존경받지 못한다."(마태 13,57)고 말씀하신 것은 바로 이러한 이유 때문인 것이다.

불교에도 이와 비슷한 예화가 있다. 마조(馬祖) 선사는 709년 사천성에서 태어난 뛰어난 선걸이다. 그의 조상은 대대로 곡식 중에 섞여 있는 겨를 골라내는 키장이었는데, 성불한 다음 고향을 찾았다. 많은 사람들이 금의환향한 마조를 성대하게 맞아주었다. 이때 개울가에 있던 노파가 마조를 보더니 깔깔 웃으며 말했다.

"대단하신 스님이 오시는가 했더니 겨우 키장이 마 씨네 꼬마 녀석 아닌가."

이에 마조는 다음과 같은 노래를 남겼다.

권하건대 그대여 고향에 가지 마오.	勸君莫還鄕
고향에서는 도를 이룰 수 없네.	還鄕道不成
개울가의 늙은 저 할머니는	溪邊老婆子
아직도 내 옛 이름을 부르는구나.	喚我舊時名

거짓말을 한다고 루치아를 때린 그녀의 어머니가 공경하는 성모님은 현존이 아닌 환상 속의 우상에 불과했으며, 마조 선사를 비웃은 노파 역시 부처를 깊은 산 법당 속에서만 찾았다. 예수를 미쳤다고 붙들러 다닌 친척들과 고향 사람들은 자신들이 알고 있던 고정관념에서 벗어나지 못하였고, 주님을 십자가에 못 박아 죽여 "그 사람의 피에 대한 책임은 우리와 우리 자손들이 질 것이오."(마태 27,25)라고 맹세한 유대인들은 2천 년이 지난 오늘에도 예수가 아닌 제2의 그리스도를 여전히 기다리고 있다.

불교에는 '불재가중(佛在家中)'이란 말이 전해져온다. 당나라 때 양보(楊補)라는 사람이 사천에 유명한 무제(無際)보살이 있다 해서 먼 길을 떠났다. 한참을 가던 양보는 "어디를 가오?" 하고 묻는 노인에게 "무제보살을 스승 삼고자 길을 떠났습니다." 라고 대답했다. 그러자 그 노인은 "보살을 찾아가느니 부처를 찾으러 가지 그래." 하고 말했다. "부처가 어디에 있는데요?" 하고 양보가 묻자 노인은 대답했다.

"집에 가면 이불을 두르고 신발도 거꾸로 신은 채 나와서 맞아주는 분을 만나게 될 텐데, 그분이 바로 부처시네."

발길을 돌려 집으로 돌아오자 이불을 두른 채 신발을 거꾸로 신고 뛰어 나오는 어머니 모습에서 비로소 양보는 '집 안에 있는 부처'를 견성(見性)할 수 있었던 것이다.

주님, '알고 있는 모든 것으로 눈이 멀어 있는 저'를 볼 수 있도록 제 눈에 흙을 개어 발라주소서.(요한 9,6 참조) 그리하여 '알고 있는 모든 것으로부터의 자유'를 허락해주소서. 아이들 속에서 아기 예수를 발견케 하시고, 아내의 눈빛에서 성모님을 느끼게 하시며, '가장 보잘것없는 이웃의 형제 하나'(마태오 25,40 참조)에게서 주님의 고통을 직시하는 은총을 내려주소서.

말과 생각과 행위의
삼위일체

아우구스티누스는 중세 유럽의 대표적인 신학자로 손꼽히는 성인 중의 한 사람이다. 그는 성부와 성자와 성령이 세 가지의 모습으로 나타나지만 원래는 하나의 몸이라는 기독교의 핵심적인 교리인 '삼위일체(三位一體)'에 깊은 관심을 갖고 그 신비를 밝히려 부단히 노력했다.

그러던 어느 날, 해변을 산책하다가 한 어린이가 모래 구멍에서 조개껍데기로 물을 푸는 모습을 보고 성인이 "무엇을 하고 있느냐?"고 묻자 어린이는 "바닷물을 퍼 올리고 있습니다."라고 대답했다. "바닷물을 퍼서 뭘 하려 하는데?" 하고 다시 묻자 어린이는 대답했다. "바닷물을 퍼서 바다를 텅 비게 하려고요."

어린이의 대답에서 성인은 삼위일체의 신비를 밝히는 것은 조개껍데기로 물을 퍼서 바다를 비우려는 것과 같이 불가능한 일이라는 사실을 깨달았다고 전해오고 있다. 물론 성인의 말씀처럼 삼위일체의 신비를 밝히는 것은 불가능한 일이지만 그 숨겨진 의미를 깨닫는 것은 그리 어려운 일이 아니다.

왜냐하면 우리들은 하느님의 형상대로 태어난 인간이기 때문이다. 하느님께서는 "우리 모습을 닮은 사람을 만들자." 하시고 '당신의 모습대로 사람을 지어'(창세기 1.26 참조) 내셨다. 하느님께서는 유일무이한 존재이기 때문에 '우리'라는 복수를 사용하신 것은 사람이 성부와 성자와 성령의 삼위일체이신 '당신의 모습'대로 창조된 것이 분명한 진리이기 때문일 것이다.

그러므로 우리에게도 "한처음에 말씀이 계셨다. 말씀은 하느님과 함께 계셨는데 말씀은 하느님이셨다."(요한 1,1)는 요한의 증언처럼 전능하신 '말씀'으로서의 하느님과, '말씀이 사람이 되셔서 우리와 함께 사시다가'(요한 1,14 참조) 십자가에 못 박혀 돌아가신 예수의 '행동'과, '그분 곧 진리의 영께서 오시면 너희를 모든 진리 안으로 이끌어 주실 것이다. 그분께서는 스스로 이야기하지 않으시고 들으시는 것만 이야기하시며, 또 앞으로 올 일들을 너희에게 알려 주실 것이다.'(요한 16,13)는 성령으로의 '생각'이 깃들어 있을 것이다.

하느님이 '성부와 성자와 성령'의 성삼위(聖三位)시라면 하느님의 모상대로 창조된 우리 인간들은 '말과 행동과 생각'의 집합체라고 말할 수 있을 것이다.

한처음 하느님이 당신의 모습대로 사람을 지어 내셨을 때는 말과 행동과 생각이 일치된 완전한 존재였을 것이다. 아담이 원죄를 지어 동산으로부터 추방된 이후 인간의 역사는 살인, 음란, 우상숭배, 도둑질, 파괴 등 각종 범죄로 얼룩지게 되었으며, 일치되었던 사람의 말과 생각과 행동은 점점 분열되고 유리되어 참인간으로서의 원형을 잃어버리게 되었을 것이다.

예수께서는 "하늘의 너희 아버지께서 완전하신 것처럼 너희도 완전한 사람이 되어야 한다."(마태 5,48)라고 분명히 말씀하신다. 하느님께서 완전한 분이라는 것은 충분히 알고 있지만 우리역시 하느님처럼 완전한 사람이 되라고 하시다니! 그것은 불가능한 일이 아니겠는가! 그러나 그것이 불가능한 일이라고 할지라도 '우리를 하늘로 부르시어 주시는 상을 얻으려고, 그 목표를향하여 달려가고 있는 것'(필리 3,14)은 우리의 희망이다. 바오로는 "이미 완전한 사람이 되었다는 것은 아닙니다. 다만 나는 그것을 붙들려고 달음질치고 있을 뿐입니다. 그리스도 예수께서 나를 붙드신 목적이 바로 그것입니다."고 말하였다.

그렇습니다.

예수께서 저를 붙드신 목적은 제가 완전한 사람이 될 수 없다고 하더라도 그것을 향해 달음질치게 하려는 것에 있음을 저는 알고 있습니다. 그러기 위해서는 제 안에 있는 하느님으로서의 '말씀(言)' 능력과 예수로서의 '행동(行)' 능력과 성령으로서의 '생각(知)' 능력, 즉 '지언행(知言行)'을 일치시키려 노력하는 것이라 저는 믿습니다.

자비로우신 주님, 렌즈로 햇볕을 모아 초점(焦點)을 맞추면 불꽃이 일어나 종이를 태울 수 있듯이 분열된 제 생각과 말과 행위를 오직 '사랑'의 초점으로 집중되어 불타오르게 하소서. 저의 말이 곧 저의 생각이며, 저의 생각이 곧 저의 행동이며, 저의 행동이 저의 말임에 추호도 어긋남이 없이 오직 우리 주 예수 그리스도만을 바라보면서 달려갈 수 있도록 주님 제 영혼을 받아주소서. 아멘.

스님, 정말로 죽음이 무섭지 않습니까?

_최인호

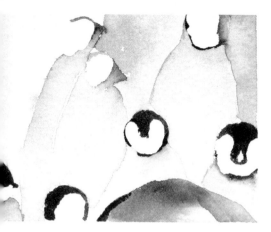

죽음을 받아들이면 사람의 삶의 폭이 훨씬 커집니다.
죽음 앞에서 두려워한다면 지금까지의 삶이 소홀했던 것입니다.

_법정

'끝'은 우리 생에 없는 것이다. 우리의 죽음도 우리 생의 끝은 아니다.
우리는 끊임없이 시작되고 이어지는 원형의 궤도 속에 존재하는
하나의 선(線)인 것이다.

2

꽃잎이 떨어져도
꽃은 지지 않는다

새봄이 일어서고 있다

요즘에 가장 많이 듣는 말은 건강에 관한 문안인사다. 간단하게 "몸이 어떠세요?"부터 시작해서 "많이 회복되셨나요?", "기도하고 있습니다." 등등 나를 환자 취급하는 내용이 대부분이다.

사정이 이렇게 된 것은 지난 6개월간 내가 어쩔 수 없이 환자 노릇을 했기 때문일 것이다.

2008년 6월 13일, 태어나서 처음으로 큰 수술을 받았다. 아침 8시에 수술실에 들어가서 오후 7시에 나오는 열 시간이 넘는 대수술이었다.

수술 후 상처를 치료하는 약물과 방사선으로 그 무더운 더위를 어떻게 견뎌내었을까 했을 정도로 병치레를 했고, 아직까지도 완전하지 못해 하루하루 환자 노릇을 톡톡히 치르고 있다.

지금까지 몸에 칼을 대본 것은 포경수술을 한 것이 처음이자 마지막일 정도로 몸이 튼튼했다. 1994년 교통사고로 한 보름 간 병원에 누워 있을 때를 빼놓으면 병원에 입원했던 적도 없었다. 지병인 당뇨병을 처방받으러 석 달에 한 번 정도 병원에 들러 담당 의사를 만나는 것이 고작일 뿐 그처럼 많은 검사를 하고 그처럼 자주 병원에 드나든 것도 일찍이 겪어보지 못한 경험이었다.

　많은 환자들은 처음에 의사로부터 중병을 선고받으면 어떻게 내게 이런 불행이 닥쳤을까 하고 회의하면서 자신의 병을 부정한다고 하는데, 나는 처음 의사로부터 그 이야기를 들은 순간 드디어 올 것이 왔구나 하는 강렬한 느낌을 받았다.

　내가 좋아하는 선가(禪家)의 말 중에 '살아도 온몸으로 살고 죽어도 온몸으로 죽어라'라는 말이 있다. 나는 병원에서 환자복으로 갈아입는 순간부터 병을 받아들이고 온몸으로 환자로 살겠다고 마음의 준비를 했다. 일체 사람 만나는 것을 거부하고 환자로서의 장전(莊嚴)을 선포했다. 아내와 아들 내외를 빼놓고는 형과 누나, 심지어 딸아이에게도 알리지 않았다. 몇몇 후배들이 병원을 찾아왔을 뿐 그 이외에는 일체 알리지 않도록 신신당부했다.

　나는 병이 사람을 죽이지는 않는다고 생각한다. 사람을 죽이는 것은 오직 죽음일 뿐. 병은 죽음으로 가는 과정에 지나지 않는다. 철학자 키르케고르의 그 유명한『죽음에 이르는 병』처럼 사람은 누구나 태어난 순간부터 죽음에 이르는 병을 앓기 시작하는 환자인 것이다. 그러므로 환자 스스로 자기 병에 대해 연민의 정을 느낄 필요도 없으며, 주위 사람들도 환자에게 용기와 위로를 주면 그만이지 지나친 호기심을 갖거나 쓸데없는 호사가적 참견을 할 필요는 없는 것이다.

"병원에 오니까 참 아픈 사람들이 많지요?"

지난여름 하루에 한 번씩 방사선 치료를 받으러 병원에 갔을 때 치료사가 내게 지나가는 말을 했다.

나는 지금까지 병원에 갈 때마다 병원은 자주 갈 데가 못 되는 재수 없는 곳, 운이 나쁜 사람들이나 가는 저주받은 곳, 전염병에 걸린 사람들이 격리된 감옥과 같은 수용소로 생각해왔다. 그러나 내가 막상 환자로서 병원을 출입하게 되니 그 치료사의 말처럼 아아, 세상에는 참 병으로 고통받는 사람들이 많구나 하는 느낌을 받았다. 그래서 나는 병실에서, 복도에서 환자들을 만나면 가슴 속 깊이 칼로 찌르는 것과 같은 고통을 느끼며 절로 울면서 고개를 숙이고 다니곤 했다.

왜 이렇게 병에 걸린 사람들이 많은 것일까. 이제야 알겠으니, 어째서 2천 년 전 부처가 인간의 생로병사(生老病死)에서 인생의 허무를 깨닫고 왕궁을 버리고 출가를 단행했는지, 그 이유를 알 것 같았다. 아아, 나는 글쟁이로서 지금까지 뭔가 아는 척 떠

들고 글을 쓰고 도통한 척 폼을 잡았지만 한갓 공염불을 외우는 앵무새에 불과했구나. 한 발자국만 거리로 나서면 우상의 광장, 온갖 물질과 성과 광기와 쾌락이 범람하는 사육제의 광장. 그 한 곁에서 환자들은 격리되어 신음하며 고통과 싸우며 어떨 때는 치료비가 없어서 절망하며 저처럼 울부짖고 있구나.

일찍이 프랑스의 소설가이자 평론가였던 A. 모루아는 이렇게 말했다.

"병은 정신적 행복의 한 형식이다. 병은 우리들의 욕망, 우리들의 불안에 확실한 한계를 설정해주기 때문이다."

모루아의 말처럼 병은 절대의 행복이다.

병을 통해 인간은 우리들의 욕망, 그 끝 간 데를 모르는 무자비한 욕망의 한계를 깨닫게 된다. 또한 이 지상의 그 어떤 공포도 죽음 이상의 것은 아니라는 한계를 가르쳐준다. 악마가 가진 최고의 무기는 죽음이 아니라 죽음에 대한 공포와 절망인 것이다. 그리스도 신앙을 기반으로 하는 위대한 사상가였던 C. 힐티는 『행복론』에서 말하고 있다.

"강의 범람이 흙을 파서 밭을 갈듯이 병은 모든 사람의 마음을 파서 갈아준다. 병을 올바르게 이해하고 견디는 사람은 보다 깊게 보다 강하게 보다 크게 된다."

강이 범람하여 홍수가 나지 않으면 대지는 황폐해진다. 기름지고 비옥한 땅이 되기 위해서는 강의 홍수로 땅이 뒤집혀야 하는 것이다. 태풍이 바닷물을 엎어버리지 않으면 플랑크톤은 사라지고 물고기들의 먹이사슬은 끊어진다. 바다가 생명을 얻기 위해서는 태풍이 몰아쳐야 하는 것이다. 마찬가지로 인간이 인간다워지기 위해서는 병의 홍수와 태풍을 견디어내지 않으면 안 되는 것이다.

이러한 은밀한 병과의 밀회가 그만 발각이 나고 말았다. 나는 그럴 만한 유명한 사람이 아니라고 스스로 생각하고 있는데, 신문에, TV에, 뉴스 시간에 내가 병에 걸렸다는 사실이 덜컥 보도가 되어버린 것이다. 그리고 이런 뉴스는 이상한 전파력을 가졌다는 사실을 깨달을 만큼 아내는 한동안 전화를 받느라 혼쭐이 날 지경이었다. 세상일에는 절대 비밀이 있을 턱이 없으므로 사람들의 입에서 입으로 소문이야 퍼져나갔을 터이지만 그래도 막상 뉴스에서 내 이름이 나오고 보니 마음이 착잡했다.

나는 그냥 나만의 병이라는 토굴 속에 틀어박혀 혼자만의 독존(獨存)으로 때로는 병과 싸우며, 병과 벗하며, 병을 통해 배우며, 언제 끝날지 모르는 환자 노릇을 수행해나가리라 결심하고 있었는데 그만 동네방네 소문이 나버린 것이다.

어차피 이렇게 된 바에야 사립문을 더욱더 걸어 잠그는 수밖에 없는 것이다. 옛 선가에도 이런 말이 전해오고 있지 않은가.

어느 날 한 제자가 찾아와 스승에게 묻는다.

"춥고 더울 때는 어디로 피해야 합니까?"

스승은 대답한다.

"추울 때는 더 추운 데로 가고, 더울 때는 더 더운 데로 가라."

이 말은 구경(究竟)이다.

나는 내가 쓴 『길 없는 길』의 주인공 경허(鏡虛)를 사숙한다. 어째서 경허가 생의 말년에 중의 자리도 박차고 함경도의 삼수갑산(三水甲山)에 가서 이름 없는 훈장 노릇을 하다가 죽었는지 그 이유를 이제야 알 것 같다.

경허는 제3의 출가를 단행한 것이다. 나도 경허처럼 이제 삼수갑산으로 떠나야 한다. 이 기회를 주기 위해서 하느님께서 나에게 병의 은총을 내려주신 것이다.

한 달 전쯤 추운 겨울날 산속 나뭇가지 위에서 울고 있는 산새를 보았다. 나는 그 새에게 말을 걸고 싶어 무심코 입술을 모아 휘파람을 불었다. 그러자 새는 내 휘파람소리에 귀를 기울이는가 싶더니 후드득 날아가 버렸다. 그 순간 나는 내가 휘파람을 불었다는 사실에 전율했다.

수술을 받은 이후에 나는 휘파람을 불 수 없었다. 입술이 마비되어 밥을 먹으면 밥알을 흘릴 정도였다.

"이― 소리를 내보세요."

수술이 끝났을 때 젊은 인턴은 그렇게 명령했다. 나는 "이―" 하고 소리를 내보았다. 그러나 입술이 벌어져 발음이 새어나왔다.

"자꾸자꾸 거울을 보면서 연습해야 합니다. 그래야 마비가 풀립니다. 휘파람도 불 수 있을 것입니다."

그런데 내가 이처럼 결심하지 않고서도 휘, 휘파람을 불 수 있었던 것이다.

이른 봄 작은 언덕 쌓인 눈을 저어 마소
제아무리 차다기로 돋은 움을 어이하리
봄옷을 새로 지어 가신 님께 보내고저…….

한용운의 「이른 봄(早春)」이라는 시처럼 눈 쌓인 작은 언덕에 봄, 봄, 봄이 오고 있다. 굳이 쌓인 눈을 치울 필요는 없다. 저처럼 매운 눈바람에도 매화는 어김없이 봉오리를 맺고 있나니, 눈 쌓인 언덕에 봄이 오듯 내 입술도 어느덧 마비가 풀려 새봄의 휘파람을 불고 있구나.

내 몸은 조금씩 회복되고 있다. 내 다정한 아픈 사람들아, 그대의 병을 대신 앓고 싶구나.

아프지 말거라, 이 땅의 아이들아, 그리고 엄마야 누나야,

창밖을 보아라. 새봄이 일어서고 있다.

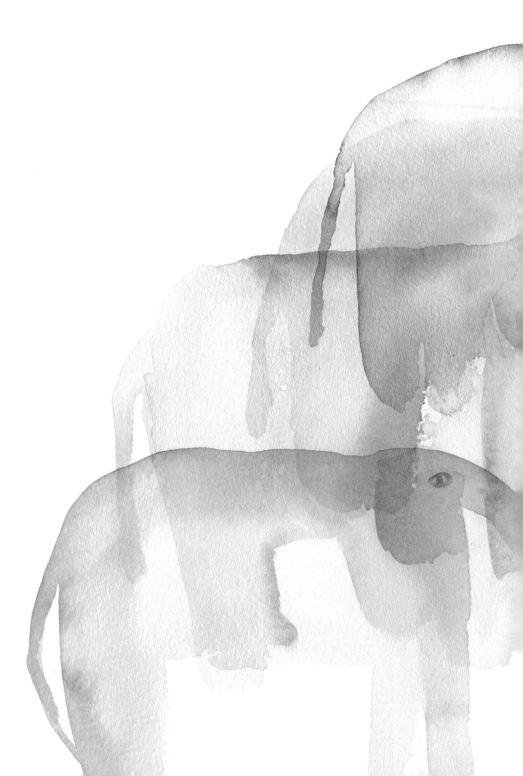

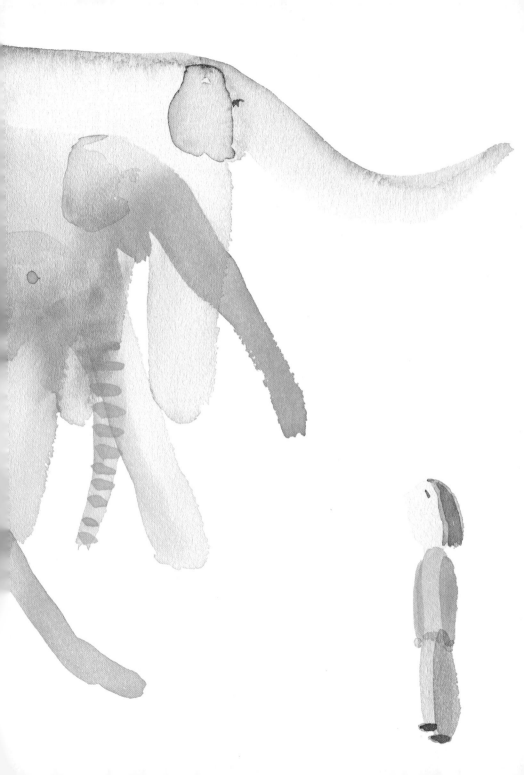

태양이, 바람이 내게 속삭이던 말

요즘처럼 생활이 단순했던 적은 없었던 것 같다.

1980년대 후반 가톨릭에 입교하여 영세 받고 한 2년간 붓을 놓았던 적이 있었다. 경허의 선시(禪詩) 중 '일 없음이 오히려 내가 할 일'(無事猶成事)이란 구절에서 한 방망이 후려 맞고 불교에 심취했던 것도 바로 그 무렵이었다.

요즘은 그때보다 더 단순하다. 붓을 놓았을 뿐 아니라 마음도 놓아버렸으니까. 그럴 수밖에 없는 것이 어느 날 느닷없이 밀어닥친 병 때문이다. 병의 폭풍이 건강과 바쁜 세상의 일상사까지 쓰나미처럼 쓸어가고 초토화시켜버렸다. 병으로부터 완전 무장해제 되어버렸으니 지금은 어쩔 수 없이 백수(白手) 신세다. 이 신세가 언제까지 지속될지는 나 자신도 모르지만 인위적으로 일을 시작하려 하거나 서두르지는 않을 생각이다.

요즘의 일상에서 가장 중요한 일은 산에 오르는 일이다. 원래도 산을 좋아하여 청계산에는 거의 12년째 오르고 있다. 스스로를 청계산의 주지라고 자처할 정도로 청계산을 사랑하고 있다. 그러나 병에 걸리고 보니 청계산은 아무래도 무리였다. 청계산을 가려면 차를 타고 한 30여 분 달려가야 한다. 그것도 힘이 드는데 가파른 산을 오르는 것은 더욱 고된 일이었기 때문이다.

한때는 청계산 입구에서 정상인 매봉까지를 한 번도 쉬지 않고 50여 분 만에 오를 정도로 체력에 자신이 있었다.

수술하고 며칠 성모병원에 입원해 있는 동안 나는 다행스럽게도 병원 뒤편에 작은 동산이 숨어 있는 것을 발견했다. 환자복을 입고 그곳에 갈 수 없다는 것을 알면서도 몰래 병실을 빠져나와 그 동산을 걸었다. 청계산에 비하면 그 동산은 한 바퀴 도는 데 15분 정도밖에 걸리지 않는 얕은 언덕에 지나지 않았다. 그럼에도 숨이 가쁘고 다리에 힘이 없어 나는 서너 번을 쉬면서 간신히 돌수 있었다. 수술이 사람의 체력을 빼앗아간다는 사실을 알고 있었지만 불과 며칠 만에 사람을 그처럼 쇠잔하게 하다니.

다행인 것은 지난해 봄 한남동 집필실 뒤편에서 작은 동산 하나를 발견해두었다는 점이었다. 평소에도 한남동 고개를 넘어올때 아파트 너머로 숲이 보이고 그 꼭대기에 정자 하나가 서 있는 것을 보고 늘 궁금했다. 그러던 어느 날 우연치 않게 그 정자 끝까지 답사를 하게 됐다. 지금 생각하면 절묘한 타이밍이었다. 왜냐하면 수술 후부터 그 산은 내게 제2의 청계산이 되었으므로.

아니, 이 산은 그 이상의 의미를 갖고 있다. 이 산은 내게 있어 재활센터이자 요양원이자 영국의 비평가 존 러스킨이 "산들은 모두 천연의 대사원"이라고 말했듯 사원이자 성지였기 때문이다.

지난해 여름 나는 두 달 동안 약물과 방사선 치료를 병행하느라고 고통스러운 나날을 보내고 있었다. 체중이 10kg이나 빠질 만큼 혹독한 투병이었다. 앉았다 일어서면 어지러워 한참을 벽을 잡고 진정시킬 정도였다. 냄새에 예민해져서 베개에서 풍겨오는 땀 냄새까지 맡을 수 있을 정도였고, 먹을 수 있는 음식의 종류가 서너 가지에 불과했다. 사레가 자주 들려 항상 물병을 휴대할 수밖에 없었으며, 구역질에 시달리고 있었다. 그럼에도 불구하고 새로 발견한 이 산을 오르는 것을 하루도 거른 적이 없었다. 사무실 식구들이 걱정을 해서 항상 휴대전화를 켜고 다녔다. 응급상황이 발생하면 연락을 취하기로 비상망을 설치해놓고서.

처음에는 5분 이상 계속해서 걸을 수가 없었다. 5분 걷고 물을 마시고, 5분 쉬고 그렇게 해서 소나무가 있는 벤치까지 간신히 걸어가 30분 정도 앉아 있다 돌아오곤 했다. 내가 그 벤치를 1차 목표로 정했던 것은 모든 냄새에 시달리고 있을 때도 숲 냄새가 좋았고, 특히 솔 냄새가 그렇게 향기로울 수 없었기 때문이다.

의사도 무리한 운동은 삼가라고 했지만 난 그 말을 듣지 않았다. 비가 와도 바람이 불어도 나는 멈추지 않았다. 제1차 목표인 소나무 벤치까지 사무실에서 30분 걸리던 것이 차츰차츰 줄어들어 25분이 되고, 20분이 되었다. 그러나 청계산의 유격훈련으로 이미 공비(共匪) 수준이 된 몸으로서는 성이 차지 않는 운동량이었다.

그래서 정자에까지 오르기로 했다. 예비 답사에서 사무실에서 정자까지 20분밖에 걸리지 않았던 것은 이미 알고 있었지만 계단이 많아 오르는 데만 두 배인 40여 분이 걸렸다. 악전고투 끝에 정자에 오르면 한강이 보이고 강남의 일대가 파노라마처럼 펼쳐지지만 나는 풍경이고 뭐고 어지러워서 기둥을 붙들고 한참을 진정해야만 했다.

두 달에 걸친 치료가 끝나자 정자에 오르는 시간이 40분에서 30분으로, 25분으로 단축되기 시작했다. 같은 코스를 두 번 계속해서 왕복하는 것은 싫어하는 성격이었으므로 어느 날부터인가 나는 새로운 길을 개척하기로 결심했다. 새로운 길을 스스로 발견해서 산에 오르는 것도 즐거운 기쁨 중의 하나였으므로 나는 이 산 곳곳에도 숨어 있는 미로들이 있을 것을 잘 알고 있던 것이다.

원래 이 산은 남산의 줄기로 '매봉산'이라 불리던 봉우리 중의 하나였다. 장충동으로 넘어가는 길이 뚫린 후 고립되어 하나의

섬이 되어버린 것이다.

나는 이 산을 하나의 과일로 보았다. 우리가 사과를 깎을 때 과도로 밑 부분에서부터 껍질을 조금씩 벗겨나가면 모든 표피가 벗겨져나가듯 이 동산도 사과처럼 돌려서 서서히 벗겨나가면 마침내 꼭지 부분인 정자에 도착할 것이라는 생각이었다. 내 예감은 적중했다. 등산로가 20분에서 30분으로, 30분에서 40분으로 연장되었다. 새로운 미지의 길을 탐사하는 동안 나도 모르게 숨이 가쁜 것이 사라지고 마른 다리에 힘이 붙기 시작했다. 단풍이 물들 가을 무렵 나의 성지순례는 완성되었다.

사무실에서 정자까지 50분에 걸친 등산로가 개척된 것이다. 나는 이 등산로를 '게세마니(올리브)' 루트라 부른다. 나는 예수가 붙잡히던 전날 밤 피땀을 흘리며 기도했던 그 게세마니 동산이 이 동산과 아주 흡사하다고 느끼고 있다. 성경에는 '돌을 던지면 닿을 거리'에서 제자들은 잠들어 있었다고 하는데 이때에 예수는 제자들을 깨우며 말을 한다.

"아직도 자고 있느냐. 자, 때가 왔다. 일어나 가자."

나의 게세마니 동산에는 바위로 된 양지바른 곳이 하나 있다. 그곳은 나의 지정석이다. 나는 그곳이 2천 년 전 예수가 피땀을 흘리며 기도했던 바로 그곳이라고 생각하고 있다. 제자들이 잠들어 있었던 곳은 바위 아래에 있는 솔밭이다. 바위에 앉아 있으면 예수께선 나를 흔들어 깨우며 말을 한다.

"깨어나라. 아직도 자고 있느냐."

태양은 내 얼굴을 비추며 이렇게 말을 한다.

"자, 때가 왔다."

바람은 내 귓가에 속삭인다.

"일어나 가자."

며칠 전에는 산길을 돌아가자 흐드러지게 핀 산수유나무 아래서 나이 든 여인 서너 명이 모여앉아 나물 캐는 모습을 보았다. 가만히 보았더니 쑥을 캐고 있었다. 그 모습들이 새 풀옷을 입은 봄 처녀처럼 그렇게 예쁠 수가 없었다.

그 순간 문득 어릴 때 불렀던 동요가 떠올랐다.

"동무들아 오너라. 봄맞이 가자 / 나물 캐러 바구니 옆에 끼고서 / 달래 냉이 꽃다지 모두 캐보자 / 종다리도 봄이라 노래하잔다."

산이 깊지 않아 종달새는 노래하지 않지만 나의 게세마니 동산에는 지천이 쑥이고, 냉이고, 봄나물이다.

이제 얼마 안 있으면 정자 부근에서 눈부신 벚꽃이 필 것이다. 요즘엔 벚꽃의 볼이 연지곤지를 찍은 듯 발그레 상기돼 있다. 느낌으로 보아 벚꽃이 피면 내 동산은 와사등(瓦斯燈)을 켠 것처럼 휘황하게 꽃 대궐을 이룰 것이다. 그러면 보고 싶은 동무들아, 내 동산으로 놀러 오너라.

우리 모두 죽지 않고
다 변화할 것입니다

(*이 글의 제목은 '1코린 15.51'의 말씀에서 따온 것이다.)

고통스런 항암치료를 하면서 느낄 수 있는 유일한 위로는 오전 10시 30분에 성모병원 성당에서 열리는 미사 참례와 거의 매일마다 병실로 찾아와 거행해주시는 신부님과 수녀님들의 영성체(領聖體)였다.

어느 날 주사바늘을 꽂은 채 기진하여 간신히 미사에 참석했을 때, 젊은 신부님이 했던 말이 가슴에 와 닿았다. 그 내용은 잊었지만 한 마디의 말은 뇌리에 화살처럼 박혔다.

"머지않아 그분의 뜻이 드러나게 될 것입니다."

나는 순간, 그 말을 주님께서 내게 주신 메시지라고 생각했다. 주님께서 내게 암을 허락하신 것은 그분의 섭리에 따른 숨은 뜻

일 것이다. 아니, 이미 그분은 그 뜻을 드러내고 계실지도 모른다. 다만 내가 그 뜻을 아직 깨닫지 못하고 있을 뿐이다.

주님께서는 "너희가 악해도 자녀들에게는 좋은 것을 줄 줄 알거든, 하늘에 계신 너희 아버지께서야 당신께 청하는 이들에게 좋은 것을 얼마나 더 많이 주시겠느냐?"(마태 7,11)고 말씀하지 않았던가. 그러므로 내게 주신 청천벽력의 암은 나에게는 불행의 재앙처럼 느껴질지 모르지만 하느님께서는 그분의 뜻을 담은 '치워질 수 없는 잔'이며, '더 좋은 것, 즉 성령'(루카 11,12)을 주시려는 은총이 아니겠는가.

주님께서는 "누구든지 내 뒤를 따라오려면, 자신을 버리고 제 십자가를 지고 나를 따라야 한다."(마태 16,24)라고 말씀하셨다. 그렇다면 내가 태어나서 맞이한 제일 큰 고통, 벼랑 끝의 이 병이야말로 주님께서 주신 '제 십자가'가 아닐 것인가. 지금까지 명색이 주님을 따른다는 가톨릭 신자로서 제 십자가를 지고 주님을 따른 적이 있었던가. 지금껏 내가 따른 주님이야말로 '십자가 없는 예수'가 아니었던가.

십자가 없는 예수를 따르는 일은 얼마나 매혹적인 일인가. 스승 예수는 물고기 두 마리로 오천 명을 먹일 수 있으며, 데이비드 카퍼필드 같은 마법의 술수 없이 순수한 기적으로 죽은 사람을 "나오너라." 한 마디로 살리셨다. 온 시민들은 겉옷을 벗어 길에 레드카펫으로 펴놓는가 하면, 나뭇가지를 꺾어 길에 깔아

즈려밟고 갈 수 있도록 스승을 찬미한다. 물론 반대하는 적들도 많이 있지만 언제나 스승은 그들을 압도하여 곧 영광의 날이 찾아온다는 것은 시간문제다. 나는 스승으로 인해 '세상의 모든 나라와 화려한 도시'의 총독으로 임명될 것이다. 스승의 이름으로 만든 상품은 세계적인 명품이 될 것이며 스승의 이름으로 세워진 광장에는 스승의 초상과 '아멘' 라벨을 앞세운 온갖 물질들로 넘쳐나 아아, 우리는 엄청난 부를 가진 환금상이 될 수 있을 것이다. 스승님 만세, 호산나, 주님은 찬미 받으소서, 높은 데서 호산나.

거기까지가 아니었던가. 주님을 향한 나의 따름은 새벽닭이 울기 전까지가 아니었던가. 베드로는 울었지만 나는 뒷걸음질 쳐서 '제 십자가를 버리고 도망쳐버릴 것이다. 이방인이 되어 '피의 밭'을 서성일지도 모른다.

그러므로 이 병은 하느님이 주신 '더 좋은 십자가'일 것이다. "나는 너를 단련시켰으나 은을 녹이듯 하지는 않고 고난의 도가니 속에서 너를 시험하였다."(이사 48,10)라는 말씀처럼 하느님이 주신 '고난의 용광로'일 것이다. 만약 내가 고난의 도가니 속에서 하느님의 뜻대로 정제될 수 있다면 나는 내일 죽어도 여한이 없을 것이다. 어차피 '생명 있는 존재는 반드시 죽는 것(生者必滅)'이므로 죽음을 피할 수는 없겠지만 만약 살아 있는 동안에 하느님의 뜻대로 내가 조금이라도 순수한 금이나 은으로 제련될 수 있다면, 그리하여 비록 '지금은 거울에 비추어보듯이 희미하게 보지만 보다 더 얼굴을 맞대고 주님의 얼굴을 볼 수 있다'면 하느님이 주신 생명의 존재인 '나'는 이 지상에서부터 주님이 약속하신 '다가온 하늘나라'를 누릴 수 있지 않겠는가.

그때 떠오른 생각은 뜻밖에도 불교적 화두였다.

1987년 여름, 나는 영세를 받고 가톨릭에 귀의했다. 그 직후 불교에 심취하여 3년 동안 한 신문에 『길 없는 길』이란 소설을 집필하였고, 1993년 봄 전4권짜리 장편소설로 펴낸 적이 있었다. 내가 불교에 깊은 관심을 갖고 집중할 수 있었던 것도 가톨릭에 입문한 뒤 느꼈던 충격에서 비롯된 것이었다.

셰익스피어의 비극 『햄릿』 속에는 주인공 햄릿이 자신의 친구인 호레이쇼에게 이렇게 한탄하는 장면이 나온다. "호레이쇼야, 이 세상에는 네가 모르는 것이 너무 많이 있단다."

가톨릭에 귀의했을 때 비로소 나는 내가 지금껏 믿어왔던 진리(眞理)라고 부르는 진리가 실은 진리가 아니고 속임수였으며, 바로 이것이야말로 진리임을 깨달았다. 내가 실재한다고 믿었던 눈에 보이는 세상은 바오로의 말처럼 '사라져가는 형체'(1코린 7,31 참조)이며, 사람이면 누구나 추구하는 돈과 명예와 권력의 영광은 악마가 소유한 '내가 받은 것'(루카 4,6), 즉 흉측한 우상임을 깨달았던 것이다.

이 놀라운 충격은 불교에 대한 관심으로 확대되어 3년 동안

운수승처럼 전국의 사찰을 행각(行脚)하며 『길 없는 길』을 집필했는데, 그때 공부했던 불교 중에 지금도 선명히 기억되는 공안(公案)이 있다. 원래 불교의 선종에는 일천칠백 개가 넘는 공안이 있어 이 화두를 타파하는 것으로 견성(見性)하지만 내게 유난히 가깝게 와 닿는 화두가 하나 있었다. 그 내용은 다음과 같다.

당나라 때 향엄(香嚴)이란 선사가 있었다. 등주(鄧州) 사람으로 법명은 지한(智閑)이었다. 키는 7척이나 되고, 학문에 조예가 깊어 아는 것이 많고, 말재주가 능하여 당하는 사람이 없었다.

어느 날 스승 위산영우(潙山靈祐)를 찾아가 불법에 대해 묻자 위산은 이렇게 답하였다.

"그대가 터득한 지식은 전부 남에게서 보고 들었거나 부처께서 말씀하신 삼장십이부경(三藏十二部經)의 뜻을 의지하고 있다. 그러므로 나는 그것을 묻지 않겠다. 나는 그대에게 묻겠다. 아직 어머니의 배 안에서 태어나기 전의 본래면목(本來面目)에 대해서 한 마디 일러보아라. 그것으로 그대의 공부를 가늠하겠노라."

향엄은 여러 가지로 대답했으나 위산은 인정해주지 않았다. 위산에게 가르침을 간청하자 스승은 "나의 말은 나의 견해일 뿐 그대 스스로의 안목으로 일러야 그대의 안목이 아니겠냐." 하고 거절한다. 이에 향엄은 자기가 읽던 모든 책을 불살라버린 후 "이번 생에는 불법을 깨닫지 못했다. 오늘까지 나를 당할 사람이 없다고 느꼈는데, 스승에게 한 방망이 맞고 보니 그 생각이 깨끗이 없어졌다. 이제부터 나는 그저 밥이나 먹고 살아가는 중이 되겠다."하고 눈물을 흘리며 스승과 작별하고 암자에 들어가 수행을 하였다.

하루는 마당의 풀을 베면서 무심코 던진 기왓장 한 조각이 대나무에 부딪치며 난 '딱' 소리를 듣고 순간 크게 깨달았다. 이 장면을 선가에서는 향엄격죽(香嚴擊竹)이라고 부른다. 향엄은 스승에게 돌아가 깨달음을 인정받고 오도송을 읊었다.

작년 가난은 가난이 아니오.	去年貧 未是貧
금년 가난이 비로소 가난이로다.	今年貧 始是貧
작년에는 송곳 꽂을 땅이 없더니	去年 無卓錐之地
금년에는 송곳조차 없더라.	今年 錐也無

이 선화에서 나온 것이 그 유명한 화두, 즉 '그대가 아직 어머니의 배에서 태어나기 전의 본래 얼굴'(父母未生前 本來面目)이란 공안인 것이다.

주님께서 허락하신 병이 '치워질 수 없는 잔'이며 '제 십자가'라는 숨은 뜻인지도 모른다는 사실을 느낀 순간, 내 머릿속에 떠오르는 질문이 바로 그것이었다. 그렇다면 부모에게서 태어나기 전 나의 본래 모습은 과연 무엇이고, '하늘과 땅이 갈라지기 전의 본래풍광'(天地未分前 本地風光)은 과연 무엇이었을까 하는 불교적 화두였다.

나는 안다. 나는 지금 바로 이곳 성모병원에 누워 있다. 내 이름은 최인호이고, 나를 간호하는 저 여인은 나의 아내라고 불리는 황정숙이다. 그러면 나는 어디서 왔는가. 내 아버지 최태원과 어머니 손복녀가 나를 낳았다. 그리고 내 아버지와 어머니도 할아버지와 할머니로부터 왔음을 나는 안다. 그 할아버지도 자신의 아버지로부터 왔으며, 독생자(獨生子)가 있을 수 없는 한 그 아버지는 또한 자신의 아버지로부터 태어났다. 나는 그 아버지의 아버지의 그 아버지를 본 적도 없고 알지도 못한다. 그러나 그 아버지의 아버지의 아버지의 아버지가 있음으로 내가 바로 지금 여기에 있음을 나는 안다.

그것은 아내 역시 마찬가지다. 황정숙은 어머니로부터 왔고, 그 어머니는 또 어머니의 어머니의 어머니를 통해 왔다. 황정숙은 그 어머니의 어머니의 어머니를 모르지만 그녀가 내 곁에 있기 위해서는 수천 년, 아니 수만 년의 계주 경기에서 생의 바통을 건네받아 지금 여기 내 곁에 아내로 존재하고 있는 것이다.

그뿐인가. 내가 보는 저 산은, 저 나무도 여기 있기까지 영겁의 세월이 흘렀다. 그렇다면 나 최인호는 창세기의 첫 구절인 '한처음에 하느님께서 하늘과 땅을 창조하셨다.'(창세 1.1)는 내용의 '한처음'에서 비롯된 것은 명백하다. 내가 보는 저 나무 역시 하느님이 "땅에서 푸른 움이 돋아나거라."라고 명령하신 후 생

겨난 것이며, 나는 '진흙으로 빚어내신 후 입김을 불어 넣으니 비로소 사람이 되어 숨을 쉰 한처음'에서부터 시작된 것이다. 이 최초의 인간은 '당신의 모습대로 지어내신 하느님의 복제품이자 사람의 원형'이다. 우리는 '한처음'으로부터 온 존재이며, '하늘과 땅이 갈라지기 전', 즉 '천지가 창조되기 전' 말씀을 통해서 생명을 얻은 절대적 존재인 것이다.

이것이 환상인가, 허구인가, 신화인가……. 아니다. 나 최인호가 바로 지금 여기 병실에 있다는 것은 '부모가 태어나기 전부터의 본래면목', 즉 '참나(眞我)'가 있었음을 입증한다. 아내가 내 곁에 있다는 것도 아내 역시 '부모가 태어나기 전'부터 본연의 자기면목, 즉 '참나'가 있었음을 입증하는 것이다. 그렇다면 나의 '참나'와 아내의 '참나'는 같은 뿌리에서 나온 한 몸인 것이다. 주님도 "따라서 그들은 이제 둘이 아니라 한 몸이다."(마태 19,6)라고 말씀하지 않았던가.

그때 내 머릿속에 떠오른 생각은 '예수 그리스도의 족보'였다. 내가 성경을 제일 처음 접한 것은 초등학교 입학할 무렵 피난 간 부산의 바닷가 교회에서였다. 성경 첫머리의 내용이 누가 누구를 낳고, 누가 누구를 낳았다는 지루한 족보였다. 그래서 어린 우리들은 성경을 '나코(낳고)복음'이라고 불렀고, 예배당에 갔더니 잠자리채를 내놓고 돈만 걷어간다고 비아냥거리며 낄낄거리고 다녔다.

신약성서의 첫 장은 어릴 때의 기억대로 '나코(낳고)복음'이다. 아브라함에서부터 예수 그리스도가 탄생할 때까지 42대의 족보를 상세하게 적어놓은 기록이다. 아마도 이는 예수가 유대민족의 조상이자 하느님을 유일신으로 섬기는 믿음의 조상인 아브라함의 적손(嫡孫)임을 증거하려는 뚜렷한 목적을 가진 의도이며, 또한 하느님으로부터 약속된 "세상의 모든 민족들이 너의 후손을 통하여 복을 받을 것이다."(창세 22,18)라는 맹세처럼 아브라함의 후손인 예수야말로 세상만민을 구할 구세주, 즉 그리스도임을 만천하에 공포하려는 선언문이다.

루카도 역시 예수의 족보를 기록하고 있지만 마태오와 달리 그는 예수를 아브라함을 뛰어넘어 '아담은 하느님의 아들이다.'(루카 3,38)라고 기록하고 있다. 마태오가 예수를 유대인의 시조인 아브라함의 적손임을 증거하기 위해서 족보를 기재하였다면, 루카는 예수를 인류의 조상인 아담을 만든 하느님의 외아들임을 증거하기 위해서 족보를 기재했던 것이다.

그 목적이야 어떻든 예수 역시 아버지인 요셉과, 요셉은 그의 아버지인 야곱, 야곱은 그의 아버지인 마딴을 통해 왔으며, 다윗왕과 아브라함을 거쳐 결국 부모들이 태어나기 전, 즉 부모미생전(父母未生前)의 한처음에서부터 온 것임은 움직일 수 없는 진리다. 물론 예수는 우리 사람들처럼 죄 중에 태어나신 것이 아니라 '지극히 높으신 하느님의 힘이 감싸주시는 성령의 잉태'로 하느님의 아들에서 '사람의 아들'로 인류 속에 뛰어드셨다. 이는 바오로의 말처럼 '일찍이 하느님께서 당신의 예언자들을 통하여 약속하신 구세주(救世主)를 인류 사회에 구현시킨 것'이며, 이는 '하느님께서는 세상을 너무나 사랑하신 나머지 외아들을 내 주시어, 그를 믿는 사람은 누구나 멸망하지 않고 영원한 생명을 얻게 하셨'(요한 3,16)기 때문이다.

'그분께서는 육으로는 다윗의 후손으로 태어나셨고, 거룩한 영으로는 죽은 이들 가운데에서 부활하시어, 힘을 지니신 하느님의 아드님으로 확인되신 우리 주 예수 그리스도'(로마 1,3-4)인 것이다. 예수는 복음 속에서 항상 자기 자신을 일컫듯 '사람의 아들(Son of Man)'이 되신 것이다. 사람의 아들이 되심으로써 그분은 우리와 똑같이 울고 웃고 굶주리고 멸시받고 박해받고, 마침내 십자가에 못 박혀 피를 흘리며 고통 속에 돌아가셨다.

그러므로 예수께서 "내가 진실로 진실로 너희에게 말한다. 나는 아브라함이 태어나기 전부터 있었다."(요한 8,58)라고 말씀하셨을 때 이해하지 못한 사람들이 돌을 들어 주님을 치려고 했던 것은 지극히 당연한 일이었을 것이다. 또한 주님께서 "그리스도가 누구의 자손이겠느냐?" 하고 물으셨을 때 사람들이 "다윗의 자손."이라고 대답하자 "다윗이 메시아를 주님이라고 부르는데, 메시아가 어떻게 다윗의 자손이 되느냐?"(마태 22,45)라고 꾸짖고 자신은 비록 '사람의 아들'이지만 '그들의 조상인 아브라함과 이

삭의 주님'임을 암시하고 있다.

비록 나는 지금 여기 성모병원에 누워 있지만 나 역시 주님처럼 부모가 태어나기 전의 '한처음'과 하늘과 땅이 갈라지기 전의 '본지풍광'으로부터 온 것은 한 치의 오류도 없는 진리이다. 그러나 나만이 가진 개성, 즉 음란, 어리석음, 분노, 탐욕, 편견, 거짓 등의 번뇌는 부모가 태어나기 전의 세계에서부터 대를 이어 살아온 아버지들로부터 물려받은 유전형질이자 불교에서 말하는 전생에서 저지른 악행과 선행으로 말미암아 현세에서 받은 업(業, karma) 때문일 것이다.

나의 죄는 인류의 조상인 아담이 지은 원죄(原罪)에서 비롯된다. 아담과 하와는 창조주인 하느님께서 에덴동산의 한가운데 있는 선악과만은 절대 따 먹지도, 만지지도 말라고 하셨으나 뱀의 유혹에 넘어가 그것을 따 먹는다. 그러자 '두 사람은 눈이 밝아져서 자기들이 알몸인 것을 알고 무화과 나뭇잎을 엮어 앞을 가린' 것처럼 성적 수치를 알게 되었으며, 선과 악을 알게 되었으며, 자아(自我)가 생김과 동시에 자신의 죄를 남에게 전가하는 핑계와 죄의식에 따른 변명과 악의 상징인 거짓의 어둠을 알게 되어 마침내 에덴의 동산에서 추방되는 것이다. 그러므로 '부모가 태어나기 전의 본래면목'은 인류의 시조인 아담과 하와가 선악과를 따 먹기 전의 '참나'를 가리키는 원형의 모습일 것이다. 선과 악을 알기 전의 면모, 부끄러움을 알기 전의 벌거벗은 천연의 모습, 선악과를 따 먹기 전의, 죽음이 없고 태어남도 없으며 성의 수치와 쾌락을 알기 전 '장가드는 일도 시집가는 일도 없이 하늘에 있는 천사'(마태 22.31)처럼 성별의 구별이 없고 "너 어디 있느냐?"고 하느님이 물으셨을 때 '두려워 몸을 숨기기 전'의 두려움을 모르던 에덴, 즉 하늘나라에서 하느님이 보시니 참 좋았던 '당신이 빚어 만드신 최초의 사람'이야말로 우리가 찾아야 할 본래면목일 것이다.

이 본래면목의 '참나'는 한때 우리 자신의 원형이었다.

"하늘나라에서는 누가 가장 위대합니까?" 하고 묻자 예수께서는 어린아이 하나를 불러 그들 가운데 세우시고 "내가 진실로 너희에게 말한다. 너희가 회개하여 어린이처럼 되지 않으면, 결코 하늘나라에 들어가지 못한다. 그러므로 누구든지 이 어린이처럼 자신을 낮추는 이가 하늘나라에서 가장 큰사람이다."(마태 18.3~4)라고 말씀하시고 '하늘나라는 이런 어린아이와 같은 사람들의 것이다.'라고 분명히 못 박고 계신다.

사람은 누구나 한때 부끄러움을 모르고, 선과 악을 모르고, 시비도 모르고, 두려움도 모르고, 거짓도 모르고, 탐욕도 모르던 어린아이, 즉 천진(天眞)의 '참나'가 있었다. 만약 인간이 이 천진의 '참나', 즉 부모가 태어나기 전의 본래면목으로 돌아갈 수 있다면 추방된 유배지에서 생명의 나무에 이르는 길목을 지키는 불칼을 뛰어넘어 영원한 생명의 하늘나라로 되돌아가게 될 것이다.

하느님의 아들이신 예수께서 우리를 구원하기 위해 '사람의 아들'로 육화되어 오셨다면 우리는 '사람의 아들'에서 '하느님의 아들'로 영적으로 거듭나야 하지 않겠는가. 그것이 오직 '자기(自我)'를 버리고 제 십자가를 지고 예수 그리스도를 따라가는 길이며 생명이 지닌 전인적 존재로서 인간이 추구해야 할 최고의 가치이며 부활의 참 의미가 아닐 것인가.

향엄 스님은 "이번 생에는 불법을 깨닫지 못하겠다."고 절망했지만 용맹정진 끝에 무심코 던진 기왓장 한 조각이 대나무에 부딪치는 '딱' 소리에 크게 깨닫고 부모가 태어나기 전의 참나, 즉 '본래면목'을 견성하였다. 주님께서 공생활을 시작하실 때 첫 일성으로 '하늘나라가 다가왔다'고 선언하셨다면 하늘나라는 이미 와 있다. 제 십자가를 지고 주님을 따른다면 어느 날 문득 어린이가 되어 하느님이 '빚어 만드신 최초의 참사람'으로 돌아가 원죄 없는 원형 인간으로 거듭날 수 있을 것이 아니겠는가.

철학자 스피노자는 말했다.

"지금 이 순간을 영원의 눈에서 바라보십시오."

심학규는 공양미 삼백 석이 있어야만 눈을 뜨는 줄 알았다. 그러나 심 봉사의 눈을 뜨게 한 것은 바로 눈앞에 있는 자신을 위해 죽었던 심청이를 보고 싶다는 참사랑의 열망 때문이었다. 스피노자의 말처럼 지금 이 순간을 시작도 끝도 없는 '이제와 항상 영원한 시선'에서 바라본다면 우리는 우리를 위하여 치마를 뒤집어쓰고 임당수의 십자가에 못 박혀 죽은 심청이의 본래면목을 볼 수 있을 것이며 나의 참모습을 견성할 수 있게 될 것이 아니겠는가.

눈을 뜨는 데는 공양미 삼백 석과 같은 수천 년 세월이 걸릴지도 모른다. 그러나 보는 것은 〈심청가〉에 나오듯 '휘번쩍' 눈을 뜨는 한 순간이다. 주님은 지금 이 순간에도 '몸을 돌려 우리를 똑바로 보신다'.(루가 22,61 참조) 여전히 닭은 한 번, 두 번, 세 번 울고 있다. 베드로가 주님의 곁을 그렇게 오랫동안 지켰지만 주님과 눈이 마주치는 것은 그때가 처음이다. 주님의 눈과 마주칠 수 있다면 나는 베드로처럼 밖으로 나가 슬피 울며 회개할 수 있을 것이며 본래면목, 즉'참나'의 새 인간으로 거듭나 부활할 수 있을 것이 아니겠는가.

아아, 이제야 나는 알겠으니, "머지않아 그분의 뜻이 드러나게 될 것입니다."는 젊은 신부님의 메시지를, 젊은 신부님을 통해 말씀하신 주님의 숨은 뜻을, "우리는 죽지 않고 변화할 것입니다."라고 말한 바오로적 부활의 참의미를……. 우리도 주님처럼, 얼굴은 태양처럼 빛나고 옷은 세상의 어떤 마전장이도 그보다 더 희게 할 수 없을 만큼 새하얗고 눈부시게 변화할 것이다.

내가 나의 이름을 부를 때

오래전 신문에 『불새』라는 소설을 연재하고 있었을 때이니 아마도 30년 전쯤 되었을 것이다. 지금은 출판박물관장으로 계신 K씨가 당시 출판사에 근무하고 있었다. 나를 만나자 자신이 열렬한 애독자라고 말한 다음 소설의 주인공이 혼잣말을 하는 장면이 많이 나오는데 실제로 내게 혼잣말을 하는 버릇이 있느냐고 물었던 적이 있었다.

우연한 질문이었지만 그 이후부터 나는 나도 몰랐던 사실을 알게 되었다. K씨의 지적처럼 내가 혼잣말을 하는 습관이 있음을 깨닫게 되었던 것이다.

연극에서 배우가 상대방 없이 혼자서 하는 대사를 독백[獨白]이라 하고, 한 사람의 배우가 모든 역을 혼자 맡아 하는 것을 모노드라마라고 한다. 그렇게 보면 나는 혼잣말을 하는 일인극의 배우처럼 일상생활을 하고 있는 셈이다. 내가 혼잣말을 많이 하는 경우는 어느 한 순간 낯 뜨거운 과거의 장면이 떠오르거나 기억조차 하기 싫은 비굴하고 옹졸한 내 자신의 치부를 떠올릴 때다. 그럴 때면 나는 나 자신도 모르게 "아이고, 미친놈.", "망할 자식!" 하고 욕설을 중얼거린다. 그 욕설은 내가 또 하나의 나를 향해 던지는 일종의 야유다.

젊은 시절 나는 거의 매일 밤마다 술을 마시고 귀가했다. 새벽에 술이 깨어 정신이 말짱해지면 술 취해 객기를 부리던 지난밤의 모습이 떠오르고 그럴 때면 나도 모르게 가래침을 뱉듯 자신을 향해 저주의 혼잣말을 던지곤 했다.

"야 이 새끼야, 정신 차려. 이 미친놈아, 이 사기꾼아. 나가 죽어."

그러나 모든 혼잣말이 이렇듯 나 자신을 혐오하는 자기 비하의 욕설만은 아니다.

1994년 초여름 중앙고속도로에서 달려오는 미군 차와 정면으로 부딪친 순간 문을 열고 뜨거운 아스팔트 위로 몸을 굴려 탈출했을 때, 나는 이렇게 혼잣말을 하고 있는 자신을 발견할 수 있었다.

"괜찮아. 너무 걱정하지 마. 아무 일도 없을 거야. 무서워하지 마."

자세히 살펴보면 자신을 비난하는 욕설보다 오히려 자신에게 용기를 주는 혼잣말이 더 많이 있음을 알게 된다. 우리는 하루에도 수십 번씩 쓸데없는 걱정에 휩싸이며 알 수 없는 불안에 시달린다. 크고 작은 난관이 우리를 괴롭히고 걱정거리가 우리를 찌른다. 그럴 때면 나는 중얼거린다.

"미리 불안해할 필요는 없어. 모든 게 잘될 거야."

간혹 절체절명의 궁지에 빠질 때도 있다.

1990년대 말, 백두산에 촬영을 갔다가 촬영 팀과 더불어 깎아지른 수직 벽을 무모하게 내려갔던 적이 있었다. 무거운 장비를 지고 미끄러운 경사면을 내려가는데 자칫하다가는 추락사할 것 같은 본능적인 공포가 엄습했다. 그 순간 나는 주문처럼 혼잣말을 했다. 특히 급할 때는 내 자신의 이름을 직접 부른다.

"인호야, 정신 차려. 조심해. 괜찮아. 인호야, 두려워하지 마."

남들이 보면 나를 미쳤다고 할 것이다. 상대방 없이 혼자서 중얼거리는 것은 해리(解離)현상으로 분열증의 중요한 증상이다. 그러나 절박한 순간 그냥 단순하게 "괜찮아, 걱정 마."라고 용기를 주기보다 출석을 부르는 선생님처럼 자기 자신의 이름을 부르며 스스로를 격려하면 기적과 같은 용기가 솟아오르는 것을 느낀다.

이때에 나는 내가 아니라 '나는 나다'라고 말씀하신 절대의 나, 즉 하느님일지도 모르고 이때의 최인호는 가면 쓴 가짜의 최인호가 아니라 내 인생의 연극무대에서 주인공으로 실재하는 진짜의 최인호, 즉 참나일지도 모른다.

지난여름 불면에 시달리면서 나는 한밤이면 유령처럼 일어나 아파트 앞에 있는 중학교 운동장을 하염없이 바라보곤 했다. 불면에 시달리는 내 자신을 도저히 이해할 수도 용서할 수도 없었다. 의사는 중독성이 없으니 안심하고 먹으라며 흰 빛깔의 수면제를 처방해주었지만 그 조그만 약에 잠을 저당 잡힌다는 것은 자존심이 허락지 않았다.

나는 잠을 못 자는 고통보다도 잠이라는 무거운 숙제에 전전긍긍하는 내 자신이 싫었다. 혼잣말이 더욱 늘어난 것은 그 이후부터였다. 밤에 운동장을 바라보면서 이렇게 중얼거리곤 했다.

"인호야, 걱정 마. 안거에 들어간 스님들은 마지막 일주일간 한숨도 안 자고 용맹정진을 하잖아. 바로 용맹정진을 한다고 생각해. 괜찮아. 별것 아냐."

나는 느낀다.

내가 진실한 마음으로 내 이름을 부르면 김춘수의 시 「꽃」처럼 나는 나에게로 와서 잊혀지지 않는 꽃이 되는 것을. 그리고 신비하게도 힘과 용기가 분수처럼 솟아오르고 따뜻한 위로와 더불어 마음의 상처가 치유되는 것을.

운동처방학을 전공하는 윤기운 교수는 운동선수들에게 세 가지 종류의 혼잣말 훈련을 실험하고 그 결과를 지켜본 후 흥미로운 논문을 발표했다. 혼잣말의 종류에는 '지도적 혼잣말'과 '동기적 혼잣말', '긍정적 혼잣말' 등이 있는데 지도적 혼잣말은 '천천히' 혹은 '침착하게' 같은 교훈적인 것이며, 동기적 혼잣말은 '이번이야말로 최고의 기회야', '드디어 때가 왔어' 같은 심리적인 동기부여를 가리키며, 긍정적 혼잣말은 '좋아, 할 수 있어', '난 내 자신을 믿어'와 같은 말인데 마음속으로 외우기보다는 실제로 입 밖으로 드러내어 혼잣말을 하는 실험대상이 그렇지 않은 상대보다 월등히 실제 행동과 학습효과에 영향을 받는다는 사실을 밝혀낸 것이다.

중국의 당나라 때 절강성의 서암사라는 절에는 사언(師彦)이라는 선사가 살고 있었다. 그는 '산은 산이요 물은 물이다'라는 화두로 유명한 암두(巖頭)의 제자였다. 사언은 스승으로부터도 인정받지 못했던 치둔인(痴鈍人)이었다.

그가 그렇게 불린 데는 어느 날 공양 초대를 받아 신도 집에 갔을 때 주인이 유리와 구슬로 된 염주알을 바구니에 담아 각자 골라 가지라고 했던 데서 비롯되었다. 사언은 다른 스님들이 다 고른 후 마지막에 남은 가장 볼품없는 것을 집어 들고 "이것이 가장 내 마음에 든다."라고 흡족해하여 '바보선사'라 불리게 된 것이다.

사언은 아침에 일어나면 판도방(큰방) 앞마루에 걸터앉아 먼 산을 보면서 이렇게 말했다.

"주인공아."

그러고 나서 사언은 대답했다.

"네."

"정신 차려라."

"네."

"앞으로도 속지 말아라."

"네."

사언의 자문자답은 자기 속의 자기야말로 만유의 근원적인 한 물건이자 본질 이전의 진아(眞我)임을 깨닫고 스스로를 끊임없이 성찰하고 경책하는 벽력임을 드러내 보인 것이다.

나는 요즈음 내 속에 숨어 있는 또 하나의 나를 믿는다.

나는 이제 내 인생의 주인공인 오직 나만을 위해 글을 쓰고 싶다. 단 한 사람의 독자면 충분하다. 그 독자로부터 인정받는 그런 작가가 되고 싶다.

웰만은 이렇게 말했다.

"세상에서 가장 좋은 벗은 나 자신이며, 세상에서 가장 나쁜 벗도 나 자신이다. 나를 구할 수 있는 가장 큰 힘도 나 자신 속에 있으며 나를 해치는 무서운 칼날도 나 자신 속에 있다. 이 두 개의 나 자신 중의 어느 나를 좇느냐에 따라 운명이 결정된다."

요즘엔 혼잣말이 부쩍 늘었다. 나는 다정스럽게 내 이름을 부른다.

"인호야."

소리 내어 나는 대답한다.

"왜 불러."

"나와 노올자."

"그으래."

나와 나는 요즘 어깨동무를 하고 날마다 함께 산에 간다. 나는 내 친구가 너무 좋다. 우리의 우정은 천지가 갈라지기 전부터 시작되었으며 부모가 태어나기 전부터 있어 왔고 죽음도 우리의 우정을 갈라놓지는 못할 것이다. 나는 씨동무인 나를 사랑한다.

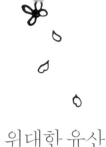

위대한 유산

어렸을 때 본 영화 중에 찰스 디킨스 원작의 〈위대한 유산〉이란 작품이 있다. 정확히 기억나지는 않지만 미천한 신분의 한 소년이, 결혼식 날 남자에게 버림을 받은 후 세상을 등진 채 은둔 생활을 하는 노처녀의 양딸 에스텔러를 사랑하며 성장해가는 내용이다. 잊히지 않는 장면은 커튼을 모두 내린 어두운 방에서 가장 화려했던 시절의 모든 물건들과 의상, 장신구들을 진열해 두고 영원히 늙지 않는 환상 속에서 살아가고 있는 노처녀의 모습이었다.

양어머니에게 길들여진 에스텔러 역시 시간이 멈춰버린 환상의 방 속으로 빠져들려 하자 주인공 청년은 커튼을 찢으며 가상의 현실로부터 뛰어나오라고 절규한다. 진정한 유산이란 상류층

이 되는 것이 아니라 인간의 고귀함에 있음을 깨달은 주인공이 막대한 유산을 포기하고 대신 인류애를 선택함으로써 '위대한 유산'을 상속받게 된다는 불후의 명작인 것이다.

우리 집에도 시간이 멈춰버린 방이 하나 있다. 이사를 한 지 6년째가 되어가는데도 아직 커튼도 없고, 변변한 가구도, 벽에 걸린 그림조차 없어 썰렁한 연극 세트와 같은 아파트에서 유일하게 장식된 것은 정원이의 물건, 낙서 그리고 정원이가 쓴 편지들이다.

정원이가 두 살 때 그린 그림부터 방학 중에 올 때마다 장난 삼아 끼적인 낙서, 유리창에 붙인 스티커, 가구 위에 쓴 수성볼펜 흔적, 학교 운동장에서 주워온 돌맹이 등 정원이의 손때가 묻은 물건들을 아내는 하나도 버리지 않고 거실 벽면에 붙여놓거나 진열장 속에 보관해둔다. 하다못해 신문지를 구겨서 만든 종이 슬리퍼, 주워온 자갈돌 위에 그린 웃는 모습의 장난감 등도 소중하게 보관되어 있다. 그런 의미에서 아내와 나는 '정원교'를 믿는 토테미즘의 맹신자라고 할 수 있으며 우리 집은 성정원의 모든 작품들을 전시하고 있는 시간이 멈춰진 갤러리인 것이다.

최근 정원이가 남긴 작품 중에서 편지 하나가 화제가 되었다. 정원이가 엄마에게 쓴 편지로, 내용은 다음과 같다.

'엄마, 엄마는 정말 행운아야. 엄마는 멋진 엄마와 남동생을 갖고 있기 때문이야. (섭섭하게도 아빠는 빠져 있다.) 그러나 나는 동생이 없어. 나는 한 가지 소원이 있어요. 나를 위해서 내가 남동생 아니면 여동생을 가질 수 있도록 기도해줄래요? 사랑하는 딸 정원.'

편지의 내용으로 보아 도단이의 딸 윤정이가 태어나기 전인 3~4년 전에 쓴 것이 분명하다. 왜냐하면 최근에 엄마 대신 외삼촌이 여동생 윤정이를 만들어주었으니까. 들려오는 소문에 의하면 작년쯤인가, 다혜의 시아버지께서 정원이에게 넌지시 말했다고 한다.

"정원아, 너 동생 보고 싶지. 그렇지?"

사돈어른의 그런 말은 은근히 정원이를 빗대어 며느리에게 아이를 하나 더 낳으라는 다목적용 협박(?)이었을 것이다. 그때 정원이는 선뜻 이렇게 대답했다는 것이다.

"괜찮아, 할아버지. 내겐 윤정이가 있잖아. 윤정이가 있으니깐 됐어."

물론 정원이와 윤정이는 친자매는 아니다. 그러나 피는 물보다 진하다는 말은 사실인 듯 정원이와 윤정이는 벌써 친자매 이상이다. 아직 말도 서툴러 할 수 있는 말이 열 개 정도밖에 안 되는 윤정이가 정원이만 만나면 "언니야, 언니야." 하고 팔짝팔짝 뛰며 손을 붙잡고 떨어지려고 하지 않는다.

2주 전이었던가, 토요일 날 성당에 들러 특전미사를 끝내고 전 가족이 단골 중국집에 모인 적이 있었다.

그날 정원이는 자신의 지갑을 들고 오더니 전 가족이 모인 자리에서 이렇게 선언했다.

"오늘은 내가 저녁을 살 거야. 그러니까 먹고 싶은 음식 마음대로 먹어. 그 대신 하나도 남기면 안 돼."

아내는 알고 있었다. 정원이의 지갑 속에는 만 원짜리 한 장이 들어 있음을. 자신이 만든 액세서리를 팔아 푼푼이 모은 돈이었다. 외출하기 전 정원이가 아내로부터 잔돈을 만 원짜리 한 장으로 바꾸어두었다는 것이다. 정원이의 호기로운 선언에 며느리 세실이가 말했다.

"아이고, 정원이가 밥을 사네. 정말 잘 먹겠습니다."

윤정이도 그 만찬을 언니가 사는 줄 알았는지 정원이가 숟가락에 밥을 떠서 먹일 때마다 한가득 입을 열어 남김없이 받아먹으며 말했다.

"언니? 언니야, 언니야, 언니야."

도단이도 말했다.

"야, 정원이가 밥을 사니 정말 맛있네."

식사가 끝날 무렵 나는 화장실 가는 척 일어서서 미리 계산을 했다. 그리고 계산을 하는 여직원에게 귀띔을 해두었다.

"조금 있다가 우리 손녀가 계산을 할 텐데요. 얼마예요 하고 물으면 무조건, 무조건 만 원이라고 대답해주실래요?"

여직원은 알겠다고 머리를 끄덕였다. 모든 식사가 끝나자 정원이가 호기롭게 지갑을 들고 일어섰다. 내가 에스코트하기로 했다.

정원이는 당당하게 걸어서, 당당하게 카운터 앞에 서서, 당당하게 말했다.

"여기 얼마예요?"

"예, 만 원입니다. 손님."

정원이는 지갑에서 만 원짜리 한 장을 꺼내고 말했다.

"이제 됐죠?"

"됐습니다, 손님."

계산을 마친 정원이는 윤정의 손을 잡고 함께 가기 위해서 제자리로 돌아왔다. 그 틈을 노려서 내가 여직원에게 천 원짜리 한 장을 주면서 이 돈을 갖고 있다가 우리 손녀가 지나가면 이렇게 저렇게 말해달라고 부탁을 했다. 눈치 빠른 여직원이 웃으면서 고개를 끄덕였다.

잠시 후 가족들은 식탁에서 일어나기로 했다.

"정말 잘 먹었다, 정원아."

아내가 말했다.

"정원이가 산 음식이 이 세상에서 제일 맛있어."

"나두."

나도 한마디 했다.

"오늘 자장면이 할아버지가 이 세상에 태어나 먹어본 자장면 중에 최고였어."

"언니야, 언니야."

언니 정원이는 동생 윤정이와 다정히 손을 잡고 음식점을 걸어 나왔다.

그때였다. 카운터에 있던 여직원이 정원이를 불러 세웠다.

"저, 손님."

여직원은 천 원짜리 한 장을 내밀면서 말했다.

"왜 거스름돈은 받지 않고 가셨어요. 자, 여기 있습니다. 잔돈이요."

나는 그때 정원이의 얼굴에서 기쁨으로 가득 찬 하늘나라를 보았다. 예수도 어린아이를 불러 사람들 가운데 세우고 이렇게 말하지 않았던가.

"나는 분명히 말한다. 너희가 생각을 바꾸어 어린이와 같이 되지 않으면 결코 하늘나라에 들어가지 못할 것이다."

그날 밤 돌아오는 차 속에서 정원이가 말했다.

"나는 세상에서 하느님이 제일 좋아."

"왜?"

다혜가 물었다.

"우리를 지켜주시니까. 그리고 또 우리 가족을 만들어주셨으니까."

그렇다. 교주님 정원이의 말씀대로 우리들의 가족이야말로 하느님이 만들어주신 최고의 '위대한 유산'인 것이다.

꽃잎이 떨어져도
꽃은 지지 않는다

꽃보다 아름다운 인생을 노래하라

어렸을 때의 일이다.

엄마는 유난히 꽃을 좋아하셨다. 지금도 잊히지 않는 것은 오후 늦게 영천시장에 엄마와 둘이서 나들이를 할 때면 언덕길을 오르다 말고 갑자기 남의 집 대문 앞에서 발을 멈추고 열린 문틈으로 정원을 들여다보곤 했던 일이다.

정원의 꽃밭에는 꽃들이 만발했다. 엄마는 무엇에 홀린 사람처럼 그 집 안으로 들어가 이렇게 말하곤 했다.

"꽃구경 좀 하고 갈게요."

대부분의 주인들은 "그렇게 하세요." 하고 허락했다. 그러면 엄마는 쭈그리고 앉아서 꽃밭의 꽃들을 황홀하게 바라보며 감탄하곤 했다.

"아이고 썩어 죽을 놈의 꽃, 무슨 꽃들이 이리도 고운지 몰라."

어린 나이였음에도 나는 그런 엄마의 호사 취미가 싫었다. 엄마는 아름다운 꽃과는 거리가 먼 할망구였다. 조금 있으면 영천시장에서 콩나물값 깎아 달라고 악다구니하며 싸울 노친네가 아닌가. 내가 그처럼 먹고 싶어 하는 순대 한 조각도 돈이 없다 냉정하게 거절하는 마귀 같은 팥쥐 엄마가 아닌가. 그런 구석 엄마가 무슨 꽃 타령이란 말인가. 나는 꽃구경에 넋이 팔려 있는 엄마의 치맛자락을 붙들고 늘어지며 떼를 쓰곤 했다.

"배고파, 엄마. 얼른 장에 갑시다."

꽃을 좋아하던 엄마는 봄이면 한옥집 콘크리트 정원 한 곁에 꽃씨를 뿌렸다. 채송화도 피고 여름이면 샐비어가 붉게 피었다. 과꽃도 피었다. 엄마는 샐비어를 '깨꽃'이라 불렀다. 나는 지금도 샐비어를 보면 '깨꽃'이라고 부르고 있다.

샐비어의 꽃말은 그 정열적인 붉은 빛깔로 인하여 '불타는 사랑'이다. 유난히 샐비어를 좋아했던 엄마에게도 '불타는 사랑'이 있었던 것을 깨달은 것은 요즘의 일이다. 엄마의 불타는 사랑 대상은 오직 아빠였다. 그렇지 않고서야 어떻게 한 남자에게서 열 명의 아이를 낳고 그중에서 여섯 명을 무사히 키워낼 수 있었을 것인가.

아아, 가엾은 엄마는 47세에 과부가 되었고, 한 여인으로서 자신이 사랑이 활활 타오르고 있는 샐비어라는 것을 모르고 초라

한 이름의 깨꽃으로 한평생을 살다가 이름 없는 들꽃으로 죽었다.

내 핏속에 꽃을 좋아하는 엄마의 유전자가 흐르고 있는 것을 알게 된 것은 최근의 일이다.

매일같이 오르는 나의 게쎄마니 동산인 매봉산에는 '자연학습관찰로'라는 이름의 꽃길이 있다. 성동구청과 옥수동 자치위원회에서 만든 학습현장 같은 꽃길이다. 벌써 이 산에 오른 것이 1년이 되어가면서도 나는 무심코 그 꽃길을 지나치곤 했다.

일주일에 두어 번 정도 함께 산행을 하는 시인 함 군이 어느 날 내게 말했다.

"저 들꽃 이름들을 아세요?"

"몰라."

"하루에 하나씩 외우세요. 그리고 상하이에 있는 정원이에게 들꽃에 대해서 편지를 보내세요. 재미있을 거예요."

나는 웃기는 소리 다 한다고 대수롭지 않게 흘려보냈다.

2년 전이었던가, KBS와 〈제4의 제국〉 다큐멘터리 작업을 하던 중 기마민족의 뿌리를 찾아 내몽골의 오르도스 대평원을 찾은 적이 있다. 나는 그곳에서 지평선을 처음 보았다. 동서남북 어디를 둘러봐도 정확하게 이등분으로 나뉜 지평선이 하늘과 땅을 가르고 있었다. 그 끝 간 데를 모르는 평원 위에서도 작은 들꽃이 피어 있었다. 그 이름 모를 들꽃에도 개미처럼 작은 벌들이 쉴 새 없이 찾아와 문안인사를 하고, 나비들이 가정방문을 하고 있었다.

도대체 이 벌들은 어디서 날아온 것일까. 아인슈타인이 말했던가.

"인류의 멸망은 벌과 나비가 사라지는 데서 시작될 것이다."

벌과 나비가 사라지면 이 들꽃들은 씨를 맺지 못하고 멸종되어버릴 것이다. 이 자연의 신비를 어떻게 설명할 것인가. 대평원 한구석에 피어난 보잘것없는 들꽃 하나에도 날개 달린 벌들이 찾아오고 저처럼 나비들이 날아와 꽃가루를 배달하고 있으니, 하느님은 저 들꽃 하나도 잊지 않으시고 각자에게 고유한 우편번호를 붙이고 보살피고 있지 아니한가.

"들꽃이 어떻게 자라는가 살펴보아라. 그것들은 수고도 하지 않고 길쌈도 하지 않는다. 그러나 온갖 영화를 누리는 솔로몬도 이 꽃 한 송이만큼 화려하게 차려입지 못하였다."

예수의 말처럼 저 들꽃 한 송이도 솔로몬의 영광을 능가하고 있음이 아닌가.

함 군의 말이 뇌리에 남았는지 그 이후부터 꽃길을 따라 걸을 때마다 나도 모르게 눈길을 주게 되었다. 다행스러운 것은 꽃 옆에는 이름을 적은 작은 팻말이 세워져 있었다는 점이다.

나는 꽃길을 따라 걸으면서 새로 반 배정을 받은 담임선생님이 출석을 부르듯 꽃 이름들을 소리 내어 불러보기 시작했다.

"꿩고비, 관중, 방울꽃, 바위취, 호이초, 루드베키아, 금계국, 베고니아, 팬지, 무스카리, 데이지, 작약, 요술꽃, 패랭이, 애기똥풀, 개미취, 토레니아, 샐비어, 물망초……."

그러는 동안 나도 모르게 신기한 일이 일어났다. 매일매일 출석을 부르다 보니 하나씩 둘씩 꽃 아이들의 이름이 입에 붙기 시작했던 것이다.

"너는 사위질빵, 너는 비비추, 너는 쑥부쟁이, 너는 마거리트, 너는 매리골드, 너는 옥잠화, 너는 보베나, 너는 파라솔, 너는 원추리……."

그뿐인가.

내가 매일매일 꽃 이름을 부르자 꽃 아이들이 대답하기 시작했다.

"맨드라미 (네), 꽃잔디 (네), 부처꽃 (네), 석잠풀 (네), 섬초롱 (…) 섬초롱 안 나왔어 (초롱이는 지난밤 바람에 꺾여 부러졌습니다, 선생님) 사피니아 (네), 금잔화 (네)……."

꽃 학생들의 이름을 거의 외울 무렵 내게는 새로운 능력이 생겨났다. 꽃 학생들의 이름뿐 아니라 그 얼굴들의 생김새와 그 학생만이 갖고 있는 특징과 빛깔, 그리고 개성이 느껴졌던 것이다. 그때부터 나는 비로소 꽃들이 보이기 시작했다. 지금까지는 지나치면서 그저 예쁘구나 하고 무심코 생각했던 꽃들이었다. 그러나 내가 출석을 부르고 이름을 외우고 각각의 얼굴을 익히

자 저마다의 꽃들이 선생님 저요, 저요, 저 여기 있어요 하고 손을 추켜올리듯 자신의 존재를 드러내기 시작했던 것이다.

나는 요즘 그 옛날의 엄마처럼 남의 집 정원에 핀 꽃밭에 주저앉아서 꽃들을 바라보느라 여념이 없다.

피어난 꽃들은 피어나서 예쁘고, 져버린 꽃들은 져버린 대로 대견하다. 아직 피어나지 못한 꽃들은 그 줄기와 잎만으로는 잘 구별되지 않아 이름을 외우기가 힘들지만 각자 자기만의 때가 있어 피어날 것이므로 어떤 빛깔과 어떤 모습의 꽃을 피워 올릴까, 기다림에 가슴이 두근거린다. 한 달 전 아내와 둘이 남해에 다녀왔다. 가는 도중 고속도로 휴게소에서 나는 아내에게 뽐을 내며 말했다.

"이 꽃 이름이 뭔지 알아?"

"몰라요."

"이건, 이건 말이야. 금계국이야. 이건 매리골드고, 이건 금잔화야."

"잘났어, 정말."

아내는 꽃 이름을 줄줄 외우는 내가 아니꼬웠던 모양이다. 그 옛날 남의 꽃밭에서 황홀하게 넋을 잃던 엄마가 그렇게 밉상이었듯.

한용운은 노래했다.

당신은 나의 꽃밭으로 오셔요. 나의 꽃밭에는 꽃들이 피어 있습니다.

만일 당신을 쫓아오던 사람이 있으면 당신은 꽃 속으로 들어가서 숨으십시오.

나는 나비가 되어서 당신 숨은 꽃 위에 가서 앉겠습니다.

그러면 쫓아오는 사람이 당신을 찾을 수는 없습니다.

《샘터》에 『가족』을 쓴 것이 벌써 '400회'가 되었다. 400회를 쓰는 동안 내 인생에서 만난 가족들과 그대들은 인생의 꽃밭에서 만난 소중한 꽃들과 나비인 것이니, 숨은 꽃보다 아름다운 그대들이여, 피어나라.

'인생은 아름답다고 죽도록 말해주고 싶어요, 하고 말하며 꽃이 죽는다'라고 노래했던 플로베르의 시처럼 꽃보다 아름다운 그대들이여, 꽃보다 아름다운 인생을 노래하라. 그리고 마음껏 춤춰라.

내 고향으로 날 보내주

2010년 1월, 나는 성모병원 21층 107호실에 입원해 있었다. 4차 항암치료를 시작하기 위해서였다.

복도를 거닐던 중 바로 옆 병실 문 앞에 '절대 안정'이라고 쓴 팻말이 붙어 있는 것을 보았다. 간호사에게 물어보니 한 신부님이 입원하고 계시다는 것이었다. 간호사의 표정이 어두운 것으로 보아 상태가 좋지 않은 환자임이 분명했다.

그러나 뜻밖이었다. 햇볕 잘 드는 휴게실 소파에 앉아 항상 그러하듯 해바라기를 하고 있는데 갑자기 팔에 링거를 꽂은 키 큰 사람이 나타났다. 나와 같은 환자복을 입고 있었지만 한눈에 옆 병실의 신부님임을 알아보았다. 쾌활하고 밝은 표정이었다.

내가 일어나 먼저 인사를 드렸다. 소설 쓰는 아무개입니다, 하고 말씀드렸더니 어떻게 왔느냐고 물으셨던 것 같다. 나는 4차 항암치료를 받기 위해 입원 중이라고 대답했다. 그러자 신부님은 웃으며 "걱정 마세요. 나는 스무 번도 넘게(정확한 횟수는 기억나지 않는다) 항암치료를 받았습니다."라고 위로했다. 환자복 바깥으로 체내의 분비액을 뽑아내기 위한 작은 주머니가 매달려 있었던 것으로 기억된다.

　잠시 후 신부님은 자신이 쓴 책을 들고 다시 나타나 내게 주었다. 『친구가 되어 주실래요』라는 책이었다. 나는 휴게실에 앉아 단숨에 다 읽었다. 그제야 신부님이 어디선가 읽었던, 아프리카 수단에서 선교활동과 봉사를 하던 화제의 주인공임을 알 수 있었다. 나는 그처럼 훌륭한 일을 한 신부님이, 그것도 한눈에 보기에도 새파랗게 젊은 신부님이 '절대 안정'이라고 쓴 팻말을 병실 앞에 내걸 정도로 병세가 악화되었다는 사실에 마음이 아팠다. 신부님의 병실 앞에는 식사 때마다 배달되는 음식이 그대로 놓여 있었고, 약간의 경상도 사투리를 쓰는 신부님 누이가 나를 알아보고 찾아와 눈물을 훔치며 동생이 아깝다고 하소연했다. 하소연을 들으며 나도 가슴이 미어졌다. 그러나 가슴이 미어진다 해도 나나 신부님이나 이제 모든 운명이 엿장수 마음에 달려 있음을 알고 있으니 어차피 부질없는 연민이었다. 우리야말로 목판 위에 놓인 엿가락에 불과하지 않는가. 간혹 복도에서 마주치는 신부님의 얼굴에도 생의 미련을 버리려는 단호함이 조금씩 깃들어 있었다. 나는 신부님이 육신의 허물을 벗으려는 찰나임을 직감할 수 있었다.

　입원하고 2~3일 후였던가, 어느 날 휴게실에 나갔다가 신부님이 창가에 앉아 포터블 음악을 듣고 있는 모습을 보았다. 인기척에도 눈을 뜨지 않을 만큼 음악에 몰두하고 있었고, 나 역시 깊은 침묵을 깨뜨릴 수 없었다. 물끄러미 그 모습을 보고 있노라니 신부님이 듣고 있는 음악이 그의 정신적 고향인 아프리카의 전통음악임을 알 수 있었다.

　신부님은 간절하게 눈을 감고 그 음악을 듣고 있었다. 그 모습을 보자, 청소년 시절에 배운 흑인 영가가 떠올랐다.

　내 고향으로 날 보내주.
　오곡백화가 만발하게 피었고 종다리 높이 떠 지저귀는 곳이 늙은 흑인의 고향이로다.
　(…)
　내 고향으로 날 보내주.
　이 몸이 다 늙어 떠나기까지 그 호숫가에서 놀게 하여주.
　거기서 내 몸을 마치리로다.
　미사와 마사는 어디로 갔나.
　찬란한 동산에 먼저 가셨나.
　자유와 기쁨이 충만한 곳에 나 어서 가서 쉬 만나리로다.

신부님은 자신의 청춘을 바친 아프리카 수단의 톤즈로 가고 싶어 하고 있다고 나는 생각했다. 오곡백화가 만발하게 피지 않고 종달새 높이 떠 지저귀지 않는 황폐한 전란의 폐허 속에서 신부님이 일궈낸 지상의 천국에 가고 싶어 하고 있구나. 신부님의 육신은 병들어 비록 병원 휴게실에 초라한 걸레처럼 놓여 있으나, 영혼은 시간과 공간을 초월하여 자유와 기쁨이 충만한 곳에 벌써 가 계시니.

그날 밤, 주치의가 내게 와 말했다. 일시적으로 촉진주사를 맞기보다는 집으로 돌아가 며칠 더 휴식을 취한 다음 입원하여 4차 항암치료를 시작하자는 소견이었다.

다음 날 아침, 일단 나는 퇴원했다. 짐을 싸고 있는데 옆방에서도 뭔가 부산스러운 소리가 들렸다. 낯익은 신부님의 누이가 낮은 목소리로 울먹이며 말했다.

"아무래도 끝인가 봐요. 신부님이 수도원에 들어가서 며칠 푹 쉬고 싶으시다 해서……."

나는 퇴원수속을 마치고 가족들에게 잠시 기다리라고 말한 후 옆방으로 찾아갔다. '절대 안정'이라고 쓴 팻말도 사라지고 병실 문은 활짝 열려 있었다.

잠시 화장실에 들어가신 신부님이 나오시길 기다렸다가, 신부님이 나오시자마자 달려가 손을 잡고 부둥켜안았다. 우리는 아무런 말도 하지 않고 그저 서로를 껴안았다. 쉽게 깨어지는 유리

제품을 조심스럽게 다루듯. 그리고 이별의 말도 없이 헤어졌다.

일주일 뒤 나는 다시 입원했다. 무심코 옆 병실을 보았다. 신부님의 이름이 적힌 환자 명패는 보이지 않았다. 간호사에게 물어보니 며칠 전에 선종했다는 전언이었다.

나는 햇살이 가득한 휴게실에 앉았다. 간호사가 와서 피를 뽑았다.

신부님의 육신은 허물을 벗고 자유와 기쁨이 충만한 그곳으로 가셨다. 이제와 우리 죽을 때에, 죄인인 우리를 위해 대신 빌어주시는 성모 마리아님의 품에 안겨서 천상의 호숫가로 떠나셨다. 우리가 함께 나눈 짧은 포옹은 생과 사가 교차하는, 지상과 하늘나라가 연결되는 찬란한 동산에서 나눈 날카로운 영원의 첫 키스와 같은 것이니. 신부님, 나의 이태석 신부님, 이 가엾은 죄인을 위해 우리 주 하느님께 빌어주소서.

그날 오후 피검사 결과가 나왔다. 백혈구 수치가 정상이었다. 다시 항암 치료가 시작되었다.

내 아픈 얼굴을 어루만지던 손

지난주는 참 많이도 울었다. 일주일 내내 고장 난 수도꼭지처럼 눈물을 흘렸으니 어지간히 많이도 운 셈이다. 나를 그토록 슬픔에 젖게 한 것은 다름 아닌 김수환 추기경님이다.

살아생전에 추기경님과 특별한 인연을 맺은 적은 없다. 손꼽아 보면 대여섯 번 뵌 것이 고작일 것이다. 한 번은 신문사 인터뷰로, 두어 번은 여럿이서 함께 나눈 식사 모임에서, IMF 때는 금 모으기를 하던 서초동 성당에서, 마지막으로 어떤 신문사에서 주최한 미술 전람회장에서.

그때 나는 두 신문에 연재를 하고 있어 몹시 바빴으므로 관람이 끝난 후 추기경님을 모시고 점심 식사를 하기로 되어 있는 자리에 빠지게 되어 "죄송합니다, 먼저 가겠습니다."라고 양해를 구했다. 그러자 추기경님은 말씀하셨다.

"왜 함께 식사를 하지 그래."

지금 와서 생각해보면 굳이 내가 그 자리에 참석하지 못할 이유는 없었다. 무리하면 얼마든지 참석하고 늦게 돌아와 원고를 써도 그만이었을 것이다. 그런데 내겐 이상하게도 쌀쌀한 구석이 있어 추기경님이라도 내 시간을 빼앗을 수 없다는 쓸데없는 자존심으로 냉정하게 사무실로 돌아왔던 것이다. 그런 의미에서 "왜 함께 식사를 하지 그래."라는 말씀은 이 지상에서 추기경님과 나눈 마지막 대화라고 할 수 있다.

이런 평범한 인연인데도 일주일 내내 추기경님을 생각하면 눈물이 났다는 사실을 나 자신도 이해할 수 없다. 나는 그때 추기경님의 그 눈빛을 잊을 수가 없다. 섭섭해 하시던 그 눈빛, 쓸쓸한 그 눈동자, 그 입술은 내 가슴에 선명히 남아 있다.

언제나 젖어 있던 추기경님의 그 입술, 코에서부터 입까지의 유난히 긴 인중 밑에 언제나 침을 흘리는 어린 아이처럼 젖어 있던 그 입술, 그 입가에 항상 번져 있던 미소, 생전에 동료 신부에게 "정말 못해먹겠다."라고 고백했다던 추기경이라는 성직자의 짐, 그 무거운 십자가, 끊임없이 엿보고 떠보던 지상에서의 율법학자들과 교묘한 권력자들. 최고의 성직자가 아니라 이름 없는 수도자, 아니 한갓 평범한 평신도로 살아가고 싶어 하셨던 그 모순된 영적 갈등과 시대적 아픔, 수십 년의 불면증(평생 불면을 모르던 나는 최근에야 불면의 고통을 실감하고 있다)과 신경안정제, 그 고통 속에서 피어난 추기경의 천진한 미소들이 떠올라 나는 어린 아이처럼 엉엉 울었다.

2003년이었던가, 새해를 맞아 동아일보에서 기획한 새해 특집 때문에 추기경님과 대담을 나눈 적이 있었다. 그 대담의 첫머리를 이렇게 썼던 것으로 기억한다.

집안에 아버지가 계시다는 것은 마음 편한 일이다. 비록 아버지의 모습이 보이지 않는다고 하더라도 디딤돌 위에 고무신이 놓여 있다는 것만으로도, 멀리서 아버지의 기침 소리가 들려오는 것만 하여도 집안은 평화롭다. 김수환 추기경은 우리 집의 어른, 우리 시대의 아버지다.

그때 벌써 추기경님은 6년 뒤 자신의 임종을 예감하고 있었던 것일까. 대담의 마무리를 자신의 간절한 소망으로 맺고 있었다.

"그보다는 내 삶이 얼마나 남았는지 모르지만 그 남은 생 동안 하느님께 얼마나 더 가까이 갈 수 있을까 그것이 걱정이에요. 이 죄 많은 죄인을 하느님께서 어떻게 받아주실까. 물론 하느님께서는 무엇이든지 용서해주시는 분이지만, 그래도 하느님 앞에 나아갈 때 부끄럽지 않은 영혼으로 서고 싶은데 그것이 걱정이에요. 이 죄 많은 죄인을 하느님께서 용서해주실지 그것이 요즘의 소망이에요. 나이와 함께 오는 여러 가지 육체적 정신적 어려움도 잘 받아들일 만큼 하느님께 모든 것을 위탁하는 것, 그것이 요즘의 간절한 기도 제목이지요."

2008년 7월, 두 번째로 성모병원에 입원했을 때 나는 추기경님이 같은 병동에 입원해 계신다는 소식을 들었다. 찾아뵙고 싶었지만 그 깔끔하시던 분께서 대소변조차 혼자서 해결하지 못할 만큼 쇠약해지셨다는 소식을 듣자 문병을 포기했다. 입장을 바꿔 생각하면 나라도 누군가 찾아올 것을 싫어했을 것이기 때문이다.

그러나 추기경님이 같은 병동에서 같은 환자로 누워 계신다는 것이 얼마나 위안이 되던지. 불면의 밤이면 그분께서도 불면의 고통으로 뒤척이고 계시다는 생각에 얼마나 용기를 얻었던지. 그 지긋지긋한 치료 중에서, 내게 찾아온 이 병이 추기경님께서 일찍이 말씀하셨던 하느님께 더 가까이 갈 수 있도록 허락하는 은총이라는 사실을 깨닫고 나도 '하느님 앞에 나아갈 때 부끄럽지 않은 영혼으로 서고 싶은데 추기경님보다도 천 번 만 번 더 깊은 죄인을 과연 하느님께서 용서해주실까' 그런 간절한 두려움에 사로잡히곤 했던 것이다.

2009년 2월 16일 밤, 추기경님이 선종하셨다는 뉴스를 듣는 순간 얼마나 고맙던지 "아이고, 하느님 감사합니다." 하고 나도 모르게 합장을 하면서 와락 눈물이 쏟아졌다. 거의 동시에 쏟아지는 각종 언론매체의 전화들. 내가 가톨릭 작가이므로 추기경님을 추모하는 글을 써달라는 그들의 청탁은 당연한 일이었을 것이다.

"추기경님을 위해서 당신도 뭔가 써야 하잖아. 잘 생각해봐."

아내가 말하자 나는 심각하게 고민을 했다. 그리고 일체의 청탁을 거절하기로 결심했다. 일찍이 프랑스의 모럴리스트였던 라로슈푸코는 이렇게 말했다.

"우리는 귀중한 사람의 죽음에 눈물을 흘린다고 말하면서 실제로는 우리 자신을 위해서 눈물을 흘리고 있다."

라로슈푸코의 날카로운 지적은 진리다.

나는 추기경님을 내 자신에 대한 연민과 내 자신을 미화하는 자애심 없이 있는 그대로 표현할 자신이 없었다.

추기경님은 그날 대담에서 내게 한 가지 수수께끼 같은 화두를 던졌다.

"이 세상에서 가장 어렵고도 가장 긴 여행이 뭔지 아세요?"

"모르겠습니다."

내가 대답하자 추기경님은 자신의 머리와 가슴을 가리키면서 말씀하셨다.

"바로 '머리'에서 '가슴'으로 가는 여행이지요. 나 역시 평생이 짧은 것처럼 보이는 여행을 떠났지만 아직 도착하기엔 멀었소이다. 기독교인들은 항상 반성과 회개를 통해 조금씩 우리 마음

한가운데 자리 잡고 있는 하느님께 나아가고 예수를 닮아가야 합니다."

추기경님의 빈소를 찾은 그 많은 사람들은 추기경님을 가슴으로 느낀 사람들이다. 살아 있을 때는 추기경님의 진면(眞面)을 모른다. 사람의 향기는 죽었을 때야 피어난다. 추기경님이 살아 계셨을 때는 이 시대가 그를 똑바로 바라보는 것을 허락하지 않았다. 그러나 죽음은 우리의 심안(心眼)을 열리게 한다.

살아 계실 때 추기경님을 만나려면 우리는 혜화동에 있는 주교관을 찾아가야 한다. 추기경님도 우리를 만나기 위해서는 시간 약속을 하고 정해진 장소로 나와야 한다. 그러나 죽음은 시간과 공간을 초월한다. 보고 싶으면 우리는 언제든 마음속에서 그분을 만날 수 있고, 그분도 우리를 찾아오실 수 있다. 그것이 죽음의 신비다.

나는 추기경님이 돌아가신 후 이러한 신비 속에서 그분을 뵈었다. 그분이 나를 찾아오신 것이다.

돌아가신 다음다음 날, 정확히 2월 18일 새벽이었을 것이다.

꿈속에서 무엇엔가 쫓겨 복도를 황급히 도망치고 있었다. 복도 끝에 흰 운동화 한 켤레가 있었다. 나는 그 신발을 신고 다시 도망쳤다. 내가 도착한 곳은 다락방. 다락방에는 수많은 성직자들이 수도복을 입고 경건하게 앉아 있었고, 내가 들어가자 성직자들이 기도를 올리기 시작했다. 나도 무릎을 꿇고 성호를 긋고 두 손을 모았다. 뭔가 집중되는 느낌을 받았다. 그 순간이었다. 어디선가 따뜻한 손이 나타나 내 수술 받은 왼쪽 얼굴을 정확히 두 번 쓰다듬으셨다. 그리고 잠에서 깨어났는데 나는 문득 그 손길이 추기경님의 것임을 확신했다. 생전에 병원으로 찾아가 수많은 병자들을 손수 문병하셨던 추기경님이셨으므로 추기경님은 마침내 누군가의 도움 없이 휠체어도 타지 않으시고 이처럼 자유롭게 나를 찾아와 아픈 부위를 어루만져주신 것임을 나는 믿·는·다.

대담기사는 이렇게 끝을 맺는다.

"아아, 하늘에 계신 우리 아버지, 죄 많은 김수환 추기경을 용서하소서. 우리는 인간 김수환을 사랑하고 있습니다."

요즘 나는 내 서재 앞 벽에 김수환 추기경님의 초상을 내걸고 있다. 그 사진을 볼 때마다 언젠가 천상의 식탁에서 그분과 함께 지상에서 미뤘던 점심식사를 하게 될 것을 나는 믿·는·다.

꽃잎이 떨어져도
꽃은 지지 않는다

2010년 3월 중순, 나는 함 군을 부추겨 한낮에 성북동에 있는 길상사를 찾았다. 나에게는 무리한 외출이었다. 2009년 10월부터 시작된 항암치료가 이미 5차에 걸쳐 시행되었고, 내 몸과 마음은 지칠 대로 지쳐 있었다. 총 6차에 걸쳐 하나의 사이클을 이루는 치료는 어느덧 막바지에 이르러 한 차례만 남기고 있었지만 나는 이 끝 간 데를 모르는 투병생활에서 어디론가 도망치고 싶다는 절박한 벼랑 끝에 선 심정이었다.

내가 길상사를 찾으려 했던 것은 법정 스님 때문이었다. 성모병원 병상에 누워 있을 때 나는 스님의 열반 소식을 들었다. 뉴스를 전해 들은 순간, 드디어 올 것이 왔구나 하는 느낌을 받았을 뿐 마음은 담담했다. 오래전부터 나는 스님이 폐암을 앓고 있다는 은밀한 소문을 전해 듣고 있었다. 미국의 저명한 병원에서 수술을 했다는 소문과 함께 날이 갈수록 병세가 악화되어 제주도로, 지방으로 요양 중이라는 소문도 귀에서 귀로 전해 듣고 있어 스님을 걱정하면서도 마음 한편으로는 워낙 강인하고 올곧은 분이라 병마쯤이야 거뜬히 물리칠 수 있을 것이라고 낙관하고 있었던 것이다.

그러나 허무하게도 입적하셨다는 뉴스를 입원실 텔레비전을 통해 본 순간 언젠가 보았던 사진작가 주명덕 씨가 찍었던 법정 스님의 뒷모습이 떠올랐다. 온다 간다는 문안인사나 작별인사도 없이 훌쩍 소매를 떨치고 빈자리만 남기고 사라지던 밀짚모자를 쓴 법정 스님의 뒷모습. 그는 지금 그 뒷모습으로 긴 그림자를 떨치며 이승의 생애에서 피안(彼岸)의 바라밀다로 떠나가고 있는 것이다.

법정(法頂), 평생 동안 무소유(無所有)를 소유하려 하였던 서슬 퍼런 수행자.

스님의 첫 번째 저서가 『무소유』로, 이 책이 스테디셀러가 됨으로써 법정 스님은 무소유의 대명사로 불리게 되었으며, 『무소유』를 시작으로 수십 권의 주옥같은 베스트셀러들을 펴내게 되었던 것이다.

일찍이 부처는 말씀하셨다.

"이 세상에 영원히 존재하는 것은 없다. 실체도 없는 '나'에 집착하면 항상 근심과 고통이 생기는 법이다. 내가 있다면 내 것이 있을 것이고 내 것이 있다면 내가 있을 것이다. 그러나 나와 내 것은 어디서도 찾을 수가 없다. 그러므로 너희들은 너희 것이 아닌 나를 버려라. 그것을 버리면 영원한 평안을 느낄 것이다. 너의 것이 아닌 것이 무엇인가. 물질은 너희 것이 아니다. 그 물질을 버려라. 감각은 너희 것이 아니다. 그 감각을 버려라. 생각은 너희 것이 아니다. 그 생각을 버려라. 의지작용(意志作用)은 너희 것이 아니다. 그 의지작용을 버려라. 의식은 너희 것이 아니다. 그 의식을 버려라."

법정 스님과 생전에 깊은 우정을 나누었던 김수환 추기경도 부처의 가르침을 철저히 지켜나가는 수행태도를 본받아 이렇게 말하지 않았던가.

"내가 한 가지 갖고 싶은 것이 있다면 바로 법정 스님의 '무소유'를 '소유'하고 싶다."

공교롭게도 김수환 추기경과 법정 스님, 오늘을 사는 우리의 정신적 지주였던 두 거인은 1년이라는 시차를 두고 앞서거니 뒤서거니 하면서 다정스럽게 손을 잡고 우리의 곁을 떠난 것이다.

입적 소식을 뉴스로 본 순간, 나는 퇴원하면 곧바로 길상사로 찾아가 문상하리라 생각했다. 함 군은 내가 법정 스님을 문상하겠다고 말하자 두 가지 이유를 들어 이를 만류했다. 하나는 내가 곧바로 퇴원했으므로 아직 외출을 할 만큼 몸이 회복되지 않았고, 또 한 가지 이유는 그 무렵의 특수한 사정 때문이었다.

새해를 맞자마자 느닷없이 신문을 비롯한 각종 매스컴에서 나에 관한 기사와 뉴스가 한꺼번에 쏟아져 나오기 시작했다. 내가 곧 세상을 떠날 만큼 위독하며 그때 마침 나온 신간 『인연』이라는 책이 나의 마지막 유작이라는 것이었다. 덕분에 책은 잘 팔릴 줄은 몰라도 정말 견딜 수 없는 헛소문들이었다. 어떤 신문사의 여기자는 아파트의 경비원을 속이고 집까지 쳐들어와 내 건강 상태를 직접 확인하고 돌아가야 한다고 떼를 써서 아내와 둘이서 문 밖에서 한바탕 실랑이를 벌이기도 했다. 마침내 KBS의 7시, 9시 두 뉴스 시간에 동시에, 세상을 떠나기에 앞서 책을 낸 작가 최인호가 <small>(내가 쓴 소설의 내용을 인용해서)</small> '다시 한 번 일어서고 싶다고 절규하였다'는 감상적인 내용을 보도함으로써 우리 집 전화기는 갑자기 불이 붙기 시작했다.

상하이의 딸아이는 울면서 전화를 걸어왔다. 직접 한 신문사에 전화를 걸어 '마지막 유작'이라는 내용을 인터넷에서 삭제해 줄 것을 요구했다고 했다. 딸아이는 화가 나서 소리를 질러대며 울부짖고 있었다.

"출판사에서 책을 팔아먹기 위해서 언론 플레이 했던 거 아냐? 샘터는 뭐야? 종이학 천 마리를 접는다고 쇼를 하고 있으니……. 멀쩡한 사람을 두고 왜 난리들이야. 내 친구들로부터 얼마만큼 전화가 왔는지 알아?"

나는 맥이 풀렸다.

나는 절대로 투병 사실이 보도될 만큼 유명한 사람도 아니고 화제의 인물도 아니다. 그런데 한 번도 아니고 두 번씩이나 언론에서 내가 암에 걸렸던 사실을 마치 생중계하듯 보도하고 있는 이유는 도대체 무엇 때문인가. 물론 유명인사의 투병 사실이 사람들에게 대리 만족을 준다는 사실을 모르지는 않는다. 쯧쯧쯧 안됐군, 하는 연민의 대상을 주위에서 발견하는 것은 지친 소시민들에게 심리적 위안이 될 수도 있다. 그러나 막상 그러한 집중 폭격을 맞는 당사자는 물론 특히 그 가족들은 치명적인 상처를 입게 되는 것이다.

남에게 불쌍한 사람, 동정받는 사람 취급받는 것도 불쾌한 일이며, 마찬가지로 '당신은 강하잖아. 이길 수 있어.', '기도할게요.', '파이팅!'과 같은 격려의 말도 부담스러운 관심인 것이다.

내가 바라는 것은 그저 나만의 고통 속에서, 나만의 병 속에서, 나만의 고독 속에서, 나 혼자만의 무장해제 속에서, 내 두려움 속에서, 근심과 번민 속에서, 내 불면증 속에서, 내 눈물 속에서 인생을 생각하고, 생각하고, 생각하고, 또 생각하고, 때로는 희망과 절망 속에서, 무인도 속에서, 과거를 돌이켜보는 준엄한 재판정에서, 탈주가 불가능한 감옥소 속에서, 감옥소의 독방 속에서, 그 절대의 구속과 자유 속에서, 어둠의 죄 속에서, 나만의 십자가 속에서, 부모가 태어나기 전의 세계 속에서, 천지가 갈라지기 전의 세계 속에서, 천지창조의 시원 속에서, 어머니의 자궁에 들어 있는 모습 그대로, 혹은 이제 막 자궁 밖으로 튀어나오려는 신생아처럼 혼자서 지내고 싶은 그 절대적 존재의 역설적인 자유로움이었던 것이다. 그런데 그러한 소망이 매스컴의 무차별한 폭격 속에서 단번에 파괴되어버린 것이다.

딸아이의 마음을 달래기 위해 단 한 군데 KBS 보도국에 항의 전화를 걸고 정정 뉴스를 보도하겠다는 약속과 함께 직접 상하이에 있는 딸아이에게 전화를 걸어 사과하겠다는(담당기자의 그 정의로운 기자 정신에 뒤늦게 감사를 드린다) 적극적인 마무리를 한 후 나는 수면제를 한 알 입에 털어 넣고 일찌감치 잠을 청했다. 잠을 청하고 있는 동안 문득 성경의 한 구절이 떠올랐다.

"…누가 오른뺨을 치거든 왼뺨까지 돌려대고, 또 재판에 걸어 속옷을 가지려 하거든 겉옷까지도 내 주거라. 누가 억지로 오 리를 가자고 하거든 십 리를 같이 가주거라. 달라는 사람에게 주고 사람의 정을 물리치지 말아라."

순간 마음이 확 밝아지는 느낌이었다.

그래 맞았어.

나는 소리 내어 중얼거렸다.

누가 오른뺨을 때리면 왼뺨도 돌려주자. 또 속옷을 가지려 하면 겉옷도 내주자. 때리고 싶으면 때리라지. 나를 특별히 미워해서 때리겠느냐, 때릴 만하니 때리겠지. 오 리를 억지로 가자고? 그래 십 리를 함께 가주마. 갖고 싶으면 내 옷 모두를 가져가거라. 어차피 그것은 껍질에 불과한 것. 옷이란 의상이며 허명에 불가한 것이 아니겠느냐.

그날 밤 나는 평화롭게 잠이 들었다. 그 이후부터 나는 매스컴의 집중포화로부터 어느 정도 자유로워질 수 있게 되었다.

그러나 함 군은 내가 함께 길상사에 가자고 말했을 때, 특히 매스컴의 이유를 들어 반대했다. 아직 시기상조라는 것이었다. 법정 스님이 입적한 지 며칠 안 되었으므로 각종 매스컴들이 연신 법정 스님의 동정을 보도하고 있었고, 유언으로 남긴 자신의 모든 출판물을 절판시켜 달라는 뜻밖의 당부 때문에 화젯거리는 물론 거의 모든 법정 스님의 책이 한꺼번에 베스트셀러에 오르는 반작용까지 일어나고 있었던 것이다.

그뿐인가.

스님은 1971년에 쓴 「미리 쓰는 유서」라는 수필에서 이렇게 쓴 적이 있었다.

"내가 죽을 때는 가진 것이 없을 것이므로 무엇을 누구에게 전한다고 번거로운 일도 없을 것이다. '본래무일물(本來無一物)'은 우리 절 사문의 소유관념이다. 그래도 혹시 평소에 즐겨 읽던 책이 내 머리맡에 몇 권 남아 있다면 아침저녁으로 '신문이요.' 하고 나를 찾아오던 꼬마에게 주고 싶다."

40년 전 쓴 법정 스님의 글 내용은 하나의 수상에 지나지 않는다. 그러나 그의 뜻을 지켜나가려는 법제자들은 수필의 내용대로 '아침저녁으로 신문배달을 하던 꼬마'를 찾아서 스님의 말씀대로 남긴 몇 권의 책을 물려주고 싶은 모양이었다. 화젯거리를 찾아 혈안이 되어 있는 방송에서 이런 식의 에피소드를 놓칠 리 만무한 것. 거의 모든 신문이나 매스컴들이 연일 법정 스님에 대해 보도하고 있는데 이럴 때 굳이 문상을 갈 이유가 어디 있느냐는 것이었다.

그러나 나는 털모자를 눌러쓰고 운전대를 잡은 함 군에게 단호하게 말했다.

"가보자구. 돌아오는 한이 있더라도 일단 가보자구."

과연 함 군의 말대로 길상사 입구에는 방송국의 촬영 팀들이 경내의 이곳저곳을 스케치하고 있었고 문상객들이 길상사 입구 쪽에 새로 지은 건물 앞에 길게 줄을 서고 있었다. 주차장에 차를 세우고 경내에 들어서자 춘삼월이라곤 하지만 아직 쌀쌀한 매운 한기가 몸을 저미는 불사춘(不似春)이었다. 그나마 완연한 봄 햇살의 양광(陽光)이 한때 술과 고기 냄새가 진동하는 음식점이었던 길상사의 경내를 부드럽게 어루만지고 있었다.

길상사에 올 때마다 나는 격세지감을 느끼고 있었다. 법정 스님에 의해서 사찰이 세워지기 전 이곳은 대표적인 고급 요릿집이었다. 이름이 대원각이었던가. 나는 계곡에 자리 잡은 암자 형태의 별채에서 많은 사람들과 고기를 굽고 술을 마셨었다. 요릿집 이전에는 유명한 요정. 깔깔대던 웃음소리와 기생의 분 냄새가 요란하던 유곽(遊廓)이 아니었던가. 술과 춤과 노래와 육체의 쾌락이 난무하던 화류항(花柳巷)이 부처님이 안치된 절집으로 변하였구나.

경허는 깨닫고 나서 다음과 같은 오도송을 남긴다.

"세속과 청산은 어느 것이 옳으냐. 봄볕 비추는 곳에 꽃피지 않는 곳이 없구나."(世與靑山何者是 春光無處不開花)

길상사를 둘러싼 언덕길을 올라가면서 봄볕(春光)을 가득히 받으니 내가 가장 좋아하는 경허의 선시가 가슴을 찔렀다.

그래, 맞아. 세속과 청산을 따져 무엇 하겠는가. 길상사건 대원각이건 굳이 어느 쪽이 옳은가 따져 무엇 하겠는가. 봄볕이 비추면 꽃피지 않는 곳이 없지 않는가. 꽃피는 곳마다 부처 역시 살아나고 있는 것. 봄볕이 비추는 곳을 찾아갈 일이지 굳이 세속과 청산을 구분할 이유가 어디 있겠는가.

"선생님, 제 옆에 바짝 서세요."

경내를 스케치하고 있던 카메라 팀을 보자 함 군이 내 팔을 부축하면서 낮은 소리로 말했다. 나는 키득키득 웃으며 말하였다.

"무소유라더니 스님은 도대체 뭐가 그리 남긴 것이 많아? 도마뱀처럼 꼬리를 남기고 돌아가셨으니 저처럼 난리들이지. 왜, 그렇지 않은가? 도마뱀이 사라져도 꼬리는 계속해서 꿈틀대고 있지 않느냐 말이야."

허기야 경허는 말년에 자신의 모든 것을 버리고 함경도의 삼수갑산으로 무애 행을 떠나면서 의미심장한 칠언절(七言絶)을 남긴다.

안다는 것 얕은 소견 이름만 높아가고
세상은 위태롭고 어지럽기만 하구나.
모를 일이여, 어느 곳에 가서 몸을 감출 것인가.
어촌이나 술집 그 어느 곳에 처소가 없겠냐마는
이름을 감출수록 이름이 더욱 새로워질까
다만 그를 두려워하노라.

경허의 시는 절대의 진리다.

경허의 노래처럼 숨으면 숨을수록 진신(眞身)은 드러나고 '이름을 감추면 감출수록 이름은 더욱 새로워지는 것(晦名益新)'인 것이다.

법정 스님은 무소유를 그처럼 철저히 수계해나갔으므로 오히려 그가 남긴 발자취의 그림자는 저처럼 더욱더 새로워지는 것이다.

나는 법정 스님의 유골이 안치된 건물 앞으로 다가가 줄지어선 문상객 뒤에 따라섰다. 다행히 나를 알아보거나 주시하는 사람들은 없었다.

차례가 되어 신발을 벗고 건물 안으로 들어서자 널찍한 법당 구석구석에 방석을 깔고 앉아 있는 사람들의 모습이 보였다. 한쪽 벽면에는 대형 스크린이 설치되어 있었고 생전에 대중을 향해 설법을 하던 스님의 모습이 방영되고 있었다. 빠르고 카랑카랑하던 스님의 목소리가 스피커에서 흘러나오고 있었고, 문상객들은 묵묵히 그 모습을 지켜보고 있었다. 대부분 여신도들이었는데 개중에는 눈가에 맺힌 눈물을 손등으로 씻어 내리는 사람들도 있었다.

나는 차례를 기다리며 중앙에 안치된 법정 스님의 영정을 바라보았다. 약간 미소를 띤 것 같기도 하고 냉소적인 표정으로 무엇인가를 날카로운 눈빛으로 쳐다보는 것 같기도 한 법정 스님 특유의 표정을 본 순간 나는 문득 낯이 설었다.

차라리 영정 사진이 없었으면 좋았을 것을. 스님에게 영정이 무슨 소용이란 말인가. 깨끗하게 무(無) 자체로 돌아가고 싶다는 법정의 유언 앞에 저 꼴불견의 사진은 무엇인가.

일찍이 만공(滿空) 스님은 입적을 앞두고 시자들에게 물을 떠오라 이른다. 시자들이 목욕물을 떠오자 스스로 평생토록 입던 육신의 옷을 씻어 내린 후 깨끗한 옷으로 갈아입는다. 깨끗한 옷으로 갈아입고 안좌한 후 거울을 가져오라고 이른다. 시자가 거울을 가져오자 만공은 물끄러미 거울에 비친 자신의 모습을 바라보며 껄껄 웃으며 말하였다.

"자네와 내가 이별할 인연이 되었나 보구려. 그럼 잘 있게. 그동안 고마웠네."

그렇다.

죽은 영정의 사진은 법정 스님이 평생 동안 빌려 쓴 가면에 지나지 않는다. 그러므로 저 가면의 얼굴이 스님의 진면목은 아닌 것이다. 아니다. 법정이란 이름도 진아(眞我)를 가리키는 것은 아니다. 그 또한 허명에 불과한 것이다.

불교 최고의 고불(古佛)이자 법정 스님이 존경하던 조주 스님은 일찍이 죽은 사람을 좇아가는 장례행렬을 보며 한탄하지 않았던가.

"한 사람의 산 사람을 수많은 죽은 사람이 좇아가고 있구나."

조주 스님의 말대로 법정 스님은 과연 죽었는가. 아니다. 조주의 말이 옳다면 법정은 죽어서 산 사람이 되었다. 무한극수(無限極數)의 수명을 가져서 죽으려야 죽을 수 없는 금강불괴신(金剛佛壞身)의 법정이 어찌 죽을 수 있단 말인가. 오히려 죽어 있는 사람은 배를 올리기 위해서 차례를 기다리고 있는 나를 비롯한 모든 사람들이 아닐 것인가.

마침내 차례가 되어서 나는 배를 올리며 마음속으로 기원하였다.

"어쨌든 안녕히 가십시오. 스님과의 인연에 깊은 감사의 인사를 드립니다."

짧은 문상을 끝내고 나는 방석을 깔고 한쪽 구석으로 밀려나 물끄러미 스크린에 비치는 스님의 모습과 영정사진을 번갈아보면서 깊은 상념에 잠겼다.

생전에 나는 법정 스님과 각별한 인연을 맺은 적은 없다. 만난 것도 열 번 남짓에 지나지 않을 만큼 드문 횟수였다. 처음 만났던 것이 아마도 1980년대 초반으로 기억된다.

법정 스님이 쓴 각종 글과 떠도는 풍문으로 스님의 이름을 익히 알고 있었다. 그 무렵에는 송광사 뒤편에 작은 '불일암'이란 암자를 짓고 은거생활을 하고 있었던 것 같은데, 스님에 대한 소문은 봉원사에서 기거하던 1970년대 초반 『무소유』 시절부터

들고 있었다.

그때는 다리가 개통되지 않아 스님을 만나려면 광나루에서 나룻배를 타고 강을 건너 봉원사를 찾아가야 했을 만큼 먼 거리였다. 어느 날 스님을 찾아갔다 온 어떤 여인이 내게 이렇게 말했던 것이 기억난다.

"봉원사에 아주 매력적인 스님이 한 분 계세요. 절 방에 오디오 시스템을 설치해놓고 모차르트와 슈베르트의 음악을 듣고 어린왕자의 이야기를 해요. 한번 찾아가보세요."

그때 나는 이렇게 빈정대었던 것 같다.

"스님이 무슨 모차르트야? 스님이 또 무슨 어린왕자야? 웃기고 있네. 세상을 버리고 출가한 사문 주제에."

물론 내가 그렇게 빈정대었던 것은 그 여인이 법정 스님을 '매력적인 스님'이라고 표현한 것에 대한 질투이자 막연한 라이벌 의식 때문이었을 것이다.

그 무렵 나는 법정 스님과 더불어 《샘터》에 글을 연재하고 있었다. 나는 연작소설 『가족』을, 법정 스님은 『산방한담(山房閑談)』이란 수필을 연재하고 있었다. 이 두 글은 당시 잡지를 대표하는, 말하자면 잡지의 간판 얼굴인 셈이었다.

1980년대 초반의 어느 날 우연히 샘터에 들렀더니 법정 스님이 도반들 몇 명과 소파에 앉아계셨다. 처음 만난 내가 인사를 올리자 이미 이름을 잘 알고 있다고 합장배례를 하시더니 불쑥 이렇게 말하였다.

"아니, 그렇게 《샘터》에 가족 이야기를 미주알고주알 자세하게 써도 괜찮으세요? 가족들이 뭐라고 불평하지 않아요? 집의 부인께서 화를 내지 않나요?"

그때 나는 이미 10여 년간 《샘터》에 『가족』을 연재하고 있었다. 스님의 말씀대로 아이들은 물론 아내 역시 잡지에 나오는 자신들의 모습을 별로 좋아하지 않고 있었다.

"이건 명백한 사생활 침해예요. 『가족』을 보면 당신만 인정 있는 근사한 사람으로 꾸미고 있고 가족들, 특히 나는 악착같이 바가지를 긁는 무식한 여편네로 보이니까 제발 내 얘기는 하지도 말고 쓰지도 말아주세요."

아내는 기회 있을 때마다 내게 항의하였지만 나는 이를 철저히 무시하고 있었다. 그런데 처음 만난 법정 스님으로부터 쓸데없는 내정간섭을 받은 셈이니 나는 은근히 반감을 갖게 되었다.

도대체 스님이 무슨 참견이야. 세상사에 초연하여 가족을 버리고 출가한 스님의 눈으로 본다면 가족의 일거수일투족을 현미경 들여다보듯 낱낱이 파헤쳐 보이는 소설의 내용이 세상사에 집착하는 범부의 어리석은 짓처럼 보이겠지만 이 또한 인생의 다른 한 면이 아닐 것인가. 법정 스님이 부처의 길을 좇아 수도의 나그네 길을 가고 있다면 나 또한 부처의 길을 좇아 가족의 인생을 살아가고 있는 또 다른 나그네가 아닐 것인가.

그 뒤에도 나는 스님을 두어 번 더 만났다. 모두 우연이었다.

단성사 극장에서 〈서편제〉를 상영하고 있을 무렵이었던가, 극장 앞에서도 한 번 뵈었고 잡지사에서 한 번 더 뵈었던 것 같다.

언제였던가, 가족들을 데리고 남도 여행을 떠난 적이 있었다. 때마침 불탄일이었던지 고속도로의 휴게소에서 석간신문을 한 장 샀는데, 신문에는 부처님오신날을 맞아 성철 스님이 내린 법어가 실려 있었다. 우연히 그것을 읽었을 때 너무나 기분이 좋아 나는 아내와 아이들에게 그 법어를 낭독해주었던 것으로 기억된다.

자기를 바로 봅시다.

자기란 시간과 공간을 초월한 것이며 하늘과 땅이 무너진다 해도 자기는 항상 변함이 없습니다.

자기를 바로 봅시다.

유형무형 할 것 없이 모든 삼라만상이 모두 자기입니다.

반짝이는 별, 춤추는 나비들이 모두 자기입니다.

자기를 바로 봅시다.

자기는 영원함으로 종말이 없습니다. 자기를 모르는 사람은 종말을 걱정하여 두려워하며 헤매고 있습니다.

(…)

자기를 바로 봅시다.

부처님은 이 세상을 구원하러 오신 것이 아니라 이 세상이 원래 구원되어 있음을 가르쳐주러 온 것입니다. 이렇듯 크나큰 진리 속에 살고 있는 우리들은 행복합니다.

성철 스님의 법문 내용이 내 가슴에 얼마만큼 큰 파문을 일으켰던지 여행에서 돌아온 즉시 나는 어느 여성잡지에 실린 성철 스님의 사진을 잘라서 내 서재 앞 벽면에 붙여놓고 매일같이 그 서슬 퍼런 눈빛을 감탄하며 쳐다보고 있었던 것이다.

그 남도 여행의 끝자락에서 귀로에 오른 나는 송광사에 들려 경내를 구경하다가 문득 가까운 어느 산속에서 작은 암자를 짓고 은거하고 있다는 법정 스님을 찾아가 친견하고 싶다는 간절한 욕망을 느꼈다.

물어물어 암자를 찾아가려다가 나는 스님께서 《샘터》에 썼던가, 암자를 찾아오는 손님이 너무 많아 번거롭고 분주해서 수도에 정진할 수 없다는 내용을 문득 떠올렸다.

아서라.

나는 내친걸음을 되돌리며 생각했다.

나까지 굳이 법정 스님을 찾아가 침묵을 깨뜨릴 필요가 어디 있겠는가. 만나고 싶은 사람은 굳이 찾아가지 않더라도 시절 인연이 닿으면 언젠가는 반드시 만나게 되어 있는 법.

그러나 영정 사진을 바라보고 있는 동안 내 마음에는 후회의

감정이 소용돌이 치고 있었다.

　그때 찾아가 뵈올 것을. 그때 뵈었더라면, 잘하면 암자의 쪽방에서 가족들과 함께 하룻밤을 묵을 수도 있었을 것을. 그렇게 되면 하룻밤에 만리장성의 인연을 맺을 수도 있었을 것을.

　법정 스님과 깊은 교감을 느낀 것은 1990년대 초였다.

　나는 불교에 심취하여 전국의 절을 돌아다니며 경허 스님의 일대기인 『길 없는 길』을 중앙일보에 연재하고 있었다. 그 무렵 실제로 도반이었던 무법(無法) 스님의 승복을 걸치고 밀짚모자를 쓴 채 압구정동의 밤거리를 활보했던 적도 있었다. 승복으로 갈아입자 세상과 절연하고 무소의 뿔처럼 유아독존이 되어 홀로 가고 있는 듯한 느낌이었다. 그러나 그 느낌이 어디 출가에만 있겠는가. 사랑하는 '가족'들 역시 부처가 아니겠는가. 그래서 '부처는 바로 집안에 있다'(佛家在中)란 유명한 말이 있지 않은가. 아내와 아이들이 살아 있는 부처님인데 이제 와서 어디 가서 청산(靑山)을 찾을 것이며 부처를 따로 구할 것인가.

　나는 1954년 겨울 당시 22살로 전남대학교 상대생이었던 박재철(법정 스님의 속명)이 당대의 고승 효봉(曉峰)으로부터 서울의 선학원에서 출가를 허락받은 후 승복을 입고 거리를 걸었을 때 가슴속에서 알 수 없는 환희심이 분수처럼 솟아 나왔다는 내용의 글을 읽은 적이 있다. 한참 감수성이 예민하던 나이에 6·25의 전쟁을 겪으면서 인간존재의 회의로 고뇌와 방황의 질풍노도의 시대를 보냈던 격동기였을 것이다. 승복을 입고 네온이 명멸하는 압구정동의 밤거리를 걷는 동안 나는 청년 법정에게 깊은 교감을 느꼈다.

『길 없는 길』을 연재하던 1990년대 초 광화문에 있는 법련사로 정찬주 군과 더불어 상경하고 있던 법정 스님을 만나러 간 적이 있었다. 계절은 정확히 떠오르지 않고 비가 치적치적 흩뿌리던 초저녁이었다. 내게 불교의 길잡이 노릇을 하던 정찬주 군이 아마도 법정 스님과 미리 약속이 되어 있어 찾아갈 때 내가 우연히 동행한 것 같다.

작은 쪽방에서 법정 스님은 내게 손수 차를 끓여 따라주셨다. 법정 스님은 연재 중인 『길 없는 길』을 읽고 계셨던 듯 그 전과는 달리 내게 부드럽고 따뜻한 눈길을 주면서 도대체 언제 불교에 대해서 공부를 하였느냐고 넌지시 물으셨다. 그날 저녁 우리는 몇 마디 나누지는 않았지만 지금까지의 스님과는 달리 나를 마치 수행자로 대해주는 듯한 강한 느낌을 받았다.

헤어질 무렵 스님은 손수 우산을 쓰고 나를 거리까지 바래다주었다. 지금도 선명히 기억나는 것은 스님의 우산 끝에서 빗물

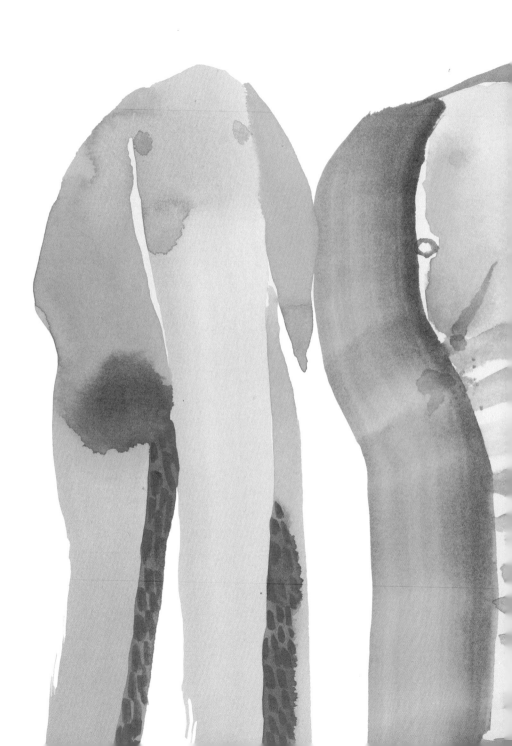

이 가랑가랑 떨어지고 있던 모습이다. 느닷없이 갑자기 다정한 형님 같은 생각이 들어 나는 불쑥 스님을 껴안고 볼에 뽀뽀라도 하려다가 간신히 참았다.

"며칠 전 승복을 빌려 입고 밤거리를 걸었습니다."

"그래 기분이 어떻던가요?"

법정 스님이 웃으며 내게 물었다.

"스님께서 효봉 스님으로부터 출가를 허락받았을 때 느끼셨다던 그 환희심을 느꼈습니다."

"그럼 이 기회에 머리 깎고 출가하시지요."

"저야 저의 가정이 바로 산문(山門)이지요. 아내가 바로 저의 효봉 스님이고, 저야 늦깎이 햇중이지요. 그러니 머리는 이미 깎은 셈이지요."

"헛허허, 허기야 최 선생은 이미 재속거사(在俗居士)이시니까."

스님이 웃고 나도 따라 웃었다. 그날 밤 나는 스님의 법제자가 된 기분이었다.

갑자기 문이 열리고 스님 한 분이 방문을 열고 들어와 법정 스님의 영정 앞에서 목탁을 두드리며 독경을 시작했다. 나는 천천히 일어났다.

문 밖에서 기다리고 있던 함 군이 내게 털모자를 내밀었다. 나는 털모자를 눌러 쓰고 건물을 빠져나왔다. 아직도 많은 문상객들이 줄을 서고 있었고 햇살은 따사로웠으나 코끝을 스치는 바람은 한겨울의 삭풍이었다.

아아,

지난겨울 나는 얼마나 봄을 기다려왔던가.

어서 봄이 와서 죽은 나무에서 강인한 생명력으로 피어나는 것을 보고 싶다.

나는 구역질을 하고 토할 때마다 소리를 내어 중얼거렸다. 어서 봄이 와 그 눈부신 벚꽃을 보고 싶고 저 솔로몬의 영화보다 더 화려하게 차려입은 들꽃도 보고 싶다.

그러나 올해는 유난히 눈이 많이 오고 추운 겨울 때문이었는지 춘삼월 중반을 훌쩍 넘기고 있는 봄날인데도 아직 한겨울이었다. 경내를 가로지르는 계곡에는 지난겨울에 남은 잔설이 그대로 고여 있었고 물도 꽝꽝 얼어붙어 흐르는 물소리도 들리지 않았다. 불어오는 칼바람에 감기라도 걸릴까 마스크까지 하고 계곡을 오르자 가장 후미진 곳에 굳게 문이 닫힌 요사채 하나가 보였다. 왠지 낯이 익었다. 그래서 문득 사립문을 밀어보았더니 안으로 굳게 잠겨 있었다.

왜 낯이 익었을까, 궁금해 하는 순간 문득 매화(梅花) 향기가 바람 자락에 실려 내 코를 스쳐갔다. 매화향기라니, 이 한겨울에 매화향기라니.

나는 사립문 넘어 뜨락에 있는 매화나무를 보면서 중얼거렸다. 요사채 앞마당에는 매화나무가 웃자라고 있었다. 아직 향기를 풍기기에는 어림도 없는 나목이었다. 그러나 철골(鐵骨)의 마른 등골이 물기조차 없어 보이지만 가지마다 부풀어 오른 꽃망울은 방긋이 입을 벌리고 있었다.

언제였던가, 7년 전이었던가. 2003년 봄. 바로 이곳 요사채에서 법정 스님과 나는 3시간 정도 자리를 함께했었다. 그때는 지금보다 한 달 정도 지난 완연한 봄날이어서 뜨락에 있던 매화나무가 활짝 피어 있었다. 바로 그 매화 꽃잎을 따서 꽃잎차를 만들어 법정 스님과 나는 함께 나누어 마셨었다. 그때 스님은 천식으로 고생을 하고 있어 간간히 기침을 하셨지. 그때의 잠재의식이 향기로운 매화향기가 되어 내 뇌리를 스친 것일까.

잡지《샘터》가 지령 400호를 맞이하여 법정 스님과 나는 '산다는 것은 나누는 것입니다'라는 제목으로 이런저런 대화를 나눌 수 있었던 것이다. 아니다. 법정 스님과 감히 대화라니. 주로 내가 질문하고 스님이 대답을 하는 일방적 형태의 정담이었다. 훗날 채록된 원고를 보고 내 몫의 내용을 보완하는 것으로 정리하였는데 어쨌든 그날의 대담은 법정 스님과의 만남에서 잊을 수 없는 깊은 인연이었다.

276

세 시간 이상 걸린 두 사람의 대화가 끝날 무렵 내가 "스님, 어느 책에선가 죽음이 무섭지 않다고 하셨는데, 정말 무섭지 않습니까?"라고 묻자 법정 스님이 이렇게 대답했던 것이 기억난다.

"실제로 죽음이 닥치면 어떨진 모르지만 지금 생각으로는 무섭지 않을 것 같습니다. 죽음은 인생의 끝으로 생각하면 안 됩니다. 새로운 삶의 시작으로 생각할 수 있어야 합니다. 이러한 생각들이 확고해지면 모든 것을 받아들일 수가 있어요. 죽음을 받아들이면 사람의 삶의 폭이 훨씬 커집니다. 사물을 보는 눈도 훨씬 깊어집니다. 죽음 앞에서 두려워한다면 지금까지의 삶이 소홀했던 것입니다. 죽음은 누구나 겸허하게 받아들여야 하는 자연스러운 현상입니다."

그때가 7년 전인 2003년 4월. 법정 스님과 나는, 7년 후 자신이 입적할 사실을 모르고 있었고 나 또한 병과는 거리가 먼 호시절의 봄날이었다. 그런데 정확히 7년 후에 법정 스님은 자신의 말대로 새로운 삶의 시작을 위해 육신의 껍질을 벗었다. 동시에 나는 상상조차 하지 못했던 뜻밖의 병과 2년에 걸친 사투를 벌리고 있는 것이다. 한 치 앞도 내다볼 수 없는 세상, 그것이 우리의 일상사인 것이다. 내일 일이 어떻게 변할지도 모르면서 우리는 먹고 마시고 춤추며 껄껄대며 사육제를 벌이고 있는 것이다.

"『길 없는 길』은 좋은 작품이에요. 자료가 있다 해도 불교계 안에 몸을 담고 있으면 그런 글을 쓰지 못하는 법인데, 최 선생님처럼 안목도 있고 재능도 있는 분이 불교계 밖에서 자유롭고 객관적인 표현을 해줄 수 있었던 것이지요."

그날 대담에서 법정 스님이 내가 쓴『길 없는 길』에 대해서 덕담을 해주셨던 것으로 기억한다. 그 순간, 나는 스님에 대한 그리움이 왈칵 솟아올랐다. 아아, 내 옆에 스님이 계셨더라면 형님하고 소리쳐 부르고 한번 번쩍 안아주었을 터인데. 고마워요 형님, 하고 볼에 뽀뽀를 해드렸을 수도 있을 터인데. 그렇지 않은가. 법정 형님이 고맙지 않은가. 1980년대 초반 스님을 샘터에서 처음 뵈었을 때 앞으로 뭘 쓰겠느냐고 내게 물었던 적이 있었다. 그때 나는 대답했었지.

"불교에 관한 소설을 쓰고 싶습니다."

그땐 겁도 없었다. 막연히 불교에 대한 초발심적 관심을 갖기 시작하였던 초창기였지. 아직 가톨릭에 귀의하기도 전의 일이었다. 그런데도 스님은 이렇게 말하며 내게 용기를 주지 않았던가.

"쓰고 싶어 하면 언젠가는 쓰게 되겠지요. 업이란 것이 그런 것입니다. 말과 행동이 업이 되어서 결과를 이루게 됩니다."

그렇다.

법정 스님은 그때 내게 화두를 점지해주셨다 그 화두는『길 없는 길』. 내가『길 없는 길』을 쓰게 된 최초의 원동력은 법정 스님이 뿌려준 화두의 씨앗 때문이 아닐 것인가. 순간 나는 법정 스님과의 인연은 전생으로부터 이어져 내려오는 숙세(宿世)의 것임을 깨달았다. 법정 스님과 나는 둘이 아니다. 너도 아니고 나도 아니다. 우리는 하나다. 태어나되 태어남이 없고, 죽되 죽음이 없으며, 있지 아니하되 있고, 없지 아니하되 없는 유일무이한 하나다.

스님과 정담을 나누던 요사채를 벗어나 나는 뒷길로 천천히 걸어 내려오기 시작하였다. 화학치료를 한 지 며칠 후였으므로 몸이 몹시 피로하였으며 구역질이 계속 치받고 있었다.

잘 알려진 바와 같이 법정 스님은 근대 불교계의 큰 어르신이셨던 효봉(1888-1966)의 애제자였다.

효봉은 어렸을 때부터 신동으로 알려졌던 법기로, 우리나라 최초로 법관이 되었다. 36세가 되던 어느 날 독립운동을 하다 체포된 조선인에게 사형선고를 내린 후 삶에 대해 큰 회의와 갈등을 이기지 못하고 집을 나와 엿장수를 하며 3년간 방랑생활을 하다가 비교적 늦은 나이인 38세에 불문에 귀의하셨던 늦깎이셨다. 법정 스님이 출가를 결정하고 여부를 묻자 효봉 스님은 생년월일을 묻고 간지를 짚어본 후에야 이를 허락하였으며, 훗날 새로 출가한 법정 사미만을 데리고 지리산 쌍계사 탑전(塔殿)

에 가서 수행에 몰입할 만큼 법정을 각별히 아꼈다고 전해지고 있다.

그때의 일화 중에 한 토막.

어느 날 아침 공양 후 우물가에서 설거지를 마치고 돌아오자 효봉 스님이 법정 사미를 부르며 빈 그릇하고 젓가락을 가져오라고 호통을 쳤다고 한다. 법정 사미가 그릇과 젓가락을 가지고 우물가로 가자 효봉 스님은 설거지를 하며 버린 밥알과 시래기 줄기를 주워 담은 후 법정 사미가 보는 앞에서 밥알과 시래기를 물로 씻은 후 훌쩍 한 입에 들이마셨다고 한다. 그러고 나서 이렇게 말하였다고 한다.

"출가해서 수도하는 사람이 무슨 일이든 아끼고 절약해서 시주한 사람의 은혜에 보답해야 한다. 가난하게 사는 것이 부자 살림이고 되도록 몸에 지니지 않는 무소유야말로 참으로 전부를 갖는 것임을 깨달아야 한다."

법정 스님의 철저한 무소유는 바로 스승이셨던 효봉으로부터 물려받은 정신적 유산. 그러나 법정 스님은 무소유마저 무소유해야 한다는 것을 정녕 몰랐단 말인가. 십자가의 성 요한이 말했던 대로 '모든 것을 얻기에 이르려면 아무것도 얻으려 하지 말라'는 역설의 진리를 깨치지 못했던 것일까.

"저것 보세요."

함께 언덕길을 내려오던 함 군이 손가락으로 담장 너머로 우거진 덤불을 가리키며 말했다.

"꽃이 피었네요."

예민한 함 군은 내가 그토록 어서 봄이 와 꽃피는 것을 기다렸던 속마음을 짐작하고 있었음일까.

"어디, 어디?"

나는 동지섣달 꽃 본 듯이 넝쿨 쪽으로 서둘러 다가갔다.

"여기요, 노란 꽃이요."

과연 함 군의 손끝에는 작고 노란 꽃이 행주치마 입에 물고 입술만 방긋거리듯 수줍게 피어 있었다.

"이 꽃 이름이 뭔지 아세요?"

꽃에 조예가 깊은 함 군이 말했다.

"노란 꽃 빛깔 때문에 금으로 만든 허리띠, 즉 금요대(金腰帶)라고 부르는데 보통은 영춘화(迎春化)라고 불러요."

"영춘화라면……."

"이름 그대로 '봄을 맞이하는 꽃'이지요. 꽃 중에서 제일 먼저 피는 꽃이에요. 설중사우(雪中四友)라고 하여서 눈을 맞으며 피는 이른 봄, 조춘(早春)의 대표적인 꽃이에요."

나는 그 모진 한파와 눈보라 삭풍을 이기고 그토록 목 놓아 기다리던 꽃으로 살아 돌아와준 누이와 같은 노란 색깔의 영춘화를 어루만졌다. 눈가에 눈물이 흘렀다.

아가야. 나는 노란 꽃잎을 보면서 소리 내어 중얼거렸다.

너도 그토록 봄을 기다렸느냐. 그리하여 영춘화가 되었느냐. 나 또한 봄을 기다렸다. 그래서 나 또한 영춘화가 되었다. 네 피어난 대견한 모습에 아가야, 색동옷을 입혀주랴, 연지곤지 찍어주랴, 돌상을 차려주랴, 꽃반지를 끼워주랴.

순간 내 머릿속으로 성 프란치스코 살레시오 성인의 금언이 떠올랐다.

"꽃잎은 떨어지지만 꽃은 지지 않는다."

아가야, 그렇다. 꽃잎은 해마다 피고 떨어지지만 꽃은 영원히 지지 않는다. 법정이란 이름의 그대는 꽃잎처럼 떨어졌지만 하늘과 땅이 갈라질 때부터 있었던 본지풍광(本地風光)과 부모가 태어나기 전부터 있었던 그대의 진면목(眞面目)은 영원히 사라지지 않는다. 잘 가십쇼, 큰형님. 법정이란 허수아비의 허물은 벗어버리고 지지 않는 꽃으로 성불하십시오.

"가세."

나는 함 군에게 말하였다. 우리는 나란히 언덕길을 내려왔다. 그 언젠가 대담을 마쳤을 때 법정 스님은 웬일로 나를 관세음보살상 앞까지 바래다주었었다. 가톨릭의 성모 마리아상을 닮아서 화제가 되었던(실제로 이 관세음보살상을 조각한 사람은 독실한 가톨릭 신자인 최종태 씨다) 관세음보살상 앞에서 우리는 나란히 사진까지 찍었던 것으로 기억된다.

나무아미타불 관세음보살.

보살상 앞에서 나는 합장을 하고 송주하였다. 아직 TV 방송국 카메라는 경내 이곳저곳을 스케치하고 있었다. 일주문을 벗어나려다 말고 나는 고개를 돌려 관세음보살상을 다시 보았다. 그곳에서 누군가 손을 흔들고 있었는데 얼핏 보면 생텍쥐페리가 쓴 '어린왕자'의 모습 같기도 하였다. 그렇다면 법정 스님이 어린왕자의 환영으로 부활하였단 말인가.

스님은 생전에 『어린왕자』란 책을 읽었을 때의 감동을 표현한 적이 있다.

"『어린왕자』란 책을 처음으로 내게 소개해준 벗은 이 한 가지 사실만으로도 한평생 잊을 수 없는 고마운 벗이다. 너(어린왕자)를 대할 때마다 거듭거듭 감사하지 않을 수 없다. 지금까지 읽은 책은 적지 않지만 너에게서처럼 커다란 감동을 받은 책은 많지 않았다. 그렇기 때문에 네가 나한테는 단순한 책이 아니라 하나의 경전이라 하더라도 조금도 과장이 아닐 것이다. 누가 나더러 지묵으로 된 한두 권의 책을 선택하라 한다면 『화엄경』과 함께 선뜻 너를 고르겠다."

그러고 나서 법정 스님은 『어린왕자』에 대해 이렇게 노래한다.

"어린왕자, 너는 죽음을 아무렇지도 않게 생각하더구나. 이 육신을 허물로 비유하면서 죽음을 조금도 두려워하지 않더구나. '삶은 한 조각 구름이 일어나는 것이요, 죽음은 한 조각 구름이 쓰러지는 것(生也一片浮雲起 死也一片浮雲滅)'이라고 여기고 있더구나. 이 우주의 근원을 넘나드는 사람에겐 죽음 같은 것은 아무것도 아니야. 죽음도 삶의 한 과정이니까. 어린왕자, 너의 실체는 그 묵은 허물 같은 것이 아닐까. 그것은 낡은 옷이니까. 옷이 낡으면 새 옷으로 갈아입듯이 우리의 육신도 그럴 거야. 그리고 네가 살던 별나라로 돌아가려면 사실 그 몸뚱이를 가지고 가기에는 거추장스러울 거다. '그건 내버린 묵은 허물 같을 거야, 묵은 허물. 그것은 슬프지 않아. 이봐, 아저씨. 그것은 아득할 거야. 나도 별들을 쳐다볼래. 모든 별들이 녹슨 도르래 달린 우물이 될 꺼야. 모든 별들이 내게 물을 마시게 해줄 거야.'"

법정 스님은 30대 말에 쓴 「미리 쓰는 유서」에서 이렇게 유언을 남기고 있다.

"육신을 버린 후에는 훨훨 날아서 가고 싶은 곳이 있다. 어린 왕자가 사는 별나라 같은 곳이다. 의자의 위치만 옮겨놓으면 하루에도 해지는 광경을 몇 번이나 볼 수 있다는 아주 조그만 그런 별나라. 가장 중요한 것은 마음으로 봐야 한다는 것을 안 왕자는 지금쯤 장미와 사이 좋게 지내고 있을까. 그런 나라에는 귀찮은 입국사증 같은 것도 필요 없을 것이므로 한번 가보고 싶다."

그럴 리가 없다고 나는 관세음보살상을 돌아보며 머리를 흔들었다. 내가 본 것은 봄볕에 아롱이는 신기루였을 것이다. 우리 곁에 왔었던 법정, 인간 박재철은 오두막집에 자기 손으로 만든 빠삐용 의자를 갖다놓고 하루에도 몇 번씩 의자를 바꿔가며 해지는 광경을 보던 어린왕자의 환생이 아니었을까.

어린왕자 법정은 이제 고향인 별나라로 돌아가고 모든 별들이 녹슨 도르래 달린 우물이 되어 퍼 올리는 생명수를 마시고 태생부터 갖고 있던 억겁의 갈증을 채울 것이다.

나는 비틀거리며 봄빛이 가득한 언덕길을 올라갔다. 어쨌든 꽃이 피면 같이 웃고 꽃이 지면 같이 울던 알뜰한 헛맹세에. 어느 날 봄날은 오고, 그리고 봄날은 언젠가 갈 것이다.

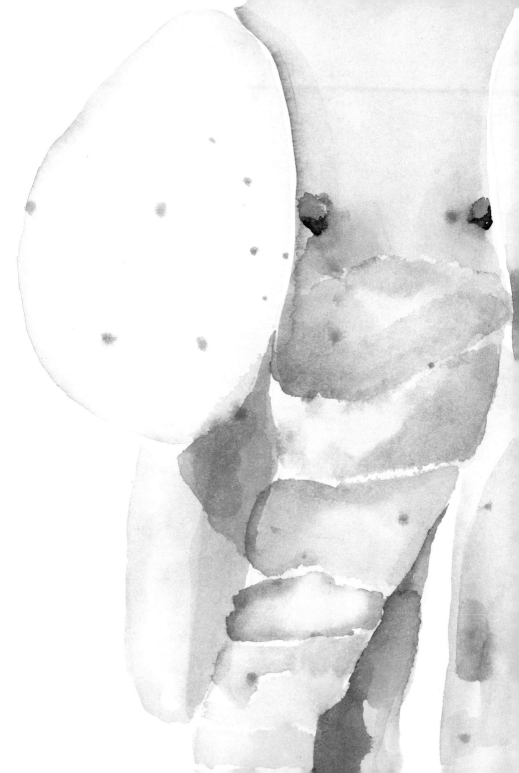

최인호의

인생

1판 1쇄 발행 2013년 3월 8일
1판 9쇄 발행 2014년 10월 15일
교회인가   2014년 2월 14일

지은이   최인호
펴낸이   김성봉, 서경현
주간   함명춘
총괄기획   김미선, 배호진, 신유민, 이윤희, 주상욱
편집진행   서대경
그림   조금희
사진   백종하
디자인   GINA

펴낸곳   (주)여백미디어
등록   1998년 12월 4일 제 03-01419호
주소   서울시 용산구 독서당로 132 (한남동) ☏140-884
전화   02-798-2296
팩스   02-798-2297
이메일   iyeo100@hanmail.net

ISBN 978-89-5866-199-3 (03810)

인쇄   선경프린테크
제본   영신사